COLECCION GUADARRAMA
DE CRITICA Y ENSAYO

42

RETRATO
DE
RAMON

LUIS S. GRANJEL

RETRATO
DE
RAMON

VIDA Y OBRA DE
RAMON GOMEZ DE LA SERNA

EDICIONES GUADARRAMA
Lope de Rueda, 13
MADRID

© *Copyright by*
EDICIONES GUADARRAMA, S. L
Madrid, 1963

Depósito Legal: M. **5.666**-1963.—N.º Registro: 1.709-63

Impreso en España por
Talleres Gráficos de EDICIONES CASTILLA, S. A.-MADRID

FOTOGRAFIAS EMPLEADAS EN ESTE LIBRO

Núms. 1, 2, 5, 6, 7, 8, 11, 21 y 25 : Foto Alfonso.
Núms. 26, 32, 33, 36, 38, 43 y 44 : Cifra.
Núms. 30, 31, 35, 39, 40, 41, 42 y 45 : Prensa Española.

Agradecemos a Prensa Española la gentileza de permitirnos publicar los dos dibujos de Mingote que cierran las ilustraciones del libro.

CONTENIDO

PRIMERA PARTE

EL AUTOR

SEGUNDA PARTE

LA OBRA

NOTA PROLOGAL

Con el presente retrato de Ramón Gómez de la Serna reanudo mi propósito de rehacer, cuando menos en sus más importantes capítulos, la historia de la literatura española contemporánea; partes de tal empresa, hasta ahora realizadas, son los retratos de Pío Baroja, Unamuno y *Azorín*, mi Panorama de la Generación del Noventa y Ocho y el volumen de estudios Pío Baroja y otras figuras del 98, *que reúne trabajos menores escritos entre 1948 y 1959.*

El Retrato de Ramón, *dedicado a una de las más representativas figuras del mundo literario español de nuestro siglo, se fragmenta en dos partes, desglosadas, cada una, en cuatro capítulos. Ponen remate al libro una relación cronológica de las obras de Gómez de la Serna y la bibliografía crítica.*

La primera parte, El autor, *se ocupa de rememorar la existencia privada de Ramón Gómez de la Serna (*'La vida'*) y las vicisitudes por las que transcurrió su quehacer vocacional (*'El escritor'*), el núcleo ideológico que preside su vida y su obra (*'El ideario'*) y los rasgos que singularizan esta labor suya (*'Su literatura'*). En la parte segunda,* La obra, *se examina, sucesivamente, su producción literaria inicial (*'Primeras obras'*), los libros de tema vario que luego escribió (*'Ramonismo'*), su obra de ficción (*'El novelista'*) y los frutos de su quehacer como historiador y crítico (*'Biografías'*).*

En la redacción de este retrato de Ramón Gómez de la Serna *he procurado, en cuanto ello ha sido posible, que el propio escri-*

2

tor hablase de sí mismo, pues importa más conocer la estampa
de quien Ramón creyó ser a la opinión que de él podría yo pro-
porcionar a mis lectores. En lo que atañe al estudio de sus obras,
más que un comentario pormenorizado de ellas, en cualquier caso
inútil, he buscado hacerlas comprensibles explicando la relación
que a juicio mío existe entre muchos de sus libros y la vida privada de su autor. Y siempre, tanto al referirme a la existencia
de Gómez de la Serna como al adentrarme en su labor de escritor, he recogido los juicios y comentarios de quienes le trataron
o han estudiado su obra literaria.

Cuando me disponía a firmar esta nota prologal tuve noticia,
por la prensa, del fallecimiento de Ramón en su hogar de Buenos
Aires, lo que me obliga a realizar algunas correcciones en el texto
del libro. Pienso que tardaré en olvidar esta triste coincidencia.

Salamanca, 14 de enero de 1963.

PRIMERA PARTE

EL AUTOR

CAPITULO I

LA VIDA

Conozcamos primero al hombre. Nace Ramón Gómez de la Serna en Madrid, en el número 5 de la calle de las Rejas, segundo piso, el 3 de julio de 1888, y muere en Buenos Aires la noche del 12 de enero de 1963. Le fueron impuestos los nombres de Ramón, Javier, José y Eulogio; ironizando sobre el primero, que él haría famoso, escribe en 1923, en su primera autobiografía: "Yo nací para llamarme Ramón, y hasta podría decir que tengo la cara redonda y casi llena de Ramón, digna de esa gran O sobre la que carga el nombre". Es el primero de cinco hermanos y miembro de una familia de la burguesía acaudalada; su padre sirve al Gobierno en el Ministerio de Ultramar y con sus preferencias ideológicas al partido liberal que acaudilla Canalejas; durante algún tiempo representó como diputado el distrito que con anterioridad ya tenía por portavoz parlamentario a un componente de la familia, el tío Félix, reiteradamente nombrado por Ramón en sus memorias; otro de sus parientes, el tío Fernando, con más brillante carrera política, alcanzó a ser ministro; gobernando Canalejas, en 1910, el padre de Ramón ocupa la Dirección General de Registros.

Los recuerdos que de su infancia conserva Ramón y relata en *Automoribundia* alcanzan a sucesos por él vividos en el cerrado mundo familiar y a otros que tuvieron por escenario el Colegio madrileño del Niño Jesús, al que acude con su hermano José y donde se inició su amistad con los Calleja. El Colegio, así lo rememora, "el rincón de la clase de párvulos, era como un gallinero donde veinte polluelos leían el tiro al blanco del abecedario y silabeaban como músicos recién salidos del huevo". Ramón dio pronto pruebas de ser un niño imaginativo y reconcentrado. De esta primera edad guarda una fiel estampa; tras rehacerla en la confesión general de sus memorias, en 1948, escribe Ramón: "Parecerá una presuntuosidad, una concepción posterior de lo anterior, pero yo diría que ya estaba dispuesto a lo que después ha sido toda mi vida y todo mi arte, una disposición sin ningún prejuicio a aceptar la parte clara y la parte oscura de la vida con igual acuciamiento, pero procurando que lo sensiblero no impusiese su amanerado argumento a lo que iba viendo."

Con la desaparición del Ministerio de Ultramar, tras el desastre colonial de 1898, la familia Gómez de la Serna abandona la Corte para establecerse en Frechilla, en la provincia de Palencia, donde al padre de Ramón le ha sido concedido el cargo de registrador; en la pequeña capital provinciana, y en el Colegio de San Isidoro, inicia Ramón, como interno, los estudios del bachillerato. Poco dura el alejamiento de Madrid; a la Villa retornan al ser nombrado diputado el cabeza de la familia; viven ahora en la calle de Fuencarral y Ramón con sus hermanos asiste al Colegio de los Padres Escolapios y más tarde al Instituto de San Isidro; son los de entonces años de estudio y reclusión. Concluido el bachillerato hace Ramón un primer viaje a París y este corto alejamiento de su mundo clausura una etapa, desde luego fundamental, en su existencia.

Antes de proseguir en esta reconstrucción de la vida de Ramón es conveniente conocer, con algún detalle, el que entonces era; disponemos, para lograrlo, de varios testimonios. El primero que citaré, tomándolo de *Automoribundia,* alude a la transformación íntima, espiritual e instintiva, que en él impuso la crisis puberal; "vivía, cuenta Ramón, entre la náusea de ir a renunciar —que es lo que hace que a veces el adolescente se mate— y el apetito ciego y salvador de la vida...; iba iniciándose en mí el ingrato anarquismo ibérico"; "me sentía un paria", añade, y continúa: "En aquel despertar de la adolescencia fui un muchacho de chalina, de esas chalinas de una telilla ajada que son como lazos de corona. Iba vestido de luto, y mi recuerdo es como si me hubiese metido en un laberinto de cipreses". Es entonces cuando siente necesidad de aislarse, afán que le empuja a reservarse un refugio en el hogar familiar, rehecho ahora en la calle de la Puebla; "preparo mi primer despacho, cuenta Ramón, con cosas del Rastro, con reproducciones en yeso y con una chimenea de mármol en que meto leña por mi cuenta"; en este escenario tienen lugar las primeras reuniones literarias orquestadas por Ramón. Aún adolescente, inicia, en la Universidad madrileña, los estudios de Derecho; en el curso preparatorio el Marqués de Mudarra le suspende en Literatura, no obstante haber recibido el libro con que Ramón da comienzo su carrera de escritor (*Entrando en fuego,* 1904); se ignora si la lectura de esta obra influyó en aquella calificación académica impuesta a su autor. Ninguna otra anécdota recuerda Ramón de su vida universitaria, a la que dio remate en la Facultad de Oviedo; concluida la carrera vistió la toga sólo para poder testificar, con un documento gráfico, su ingreso en una profesión que nunca ejerció. Canalejas ofrece al primogénito del que era miembro destacado de su partido el puesto de secretario particular suyo, pero Ramón rehusó el porvenir político que aquel cargo podía depararle por no desoír lo que ya entonces era en él firme vocación; sí acepta más tarde un destino modesto en la Administración, el de oficial técnico en la Fiscalía del Tribunal Supremo, para el cual es designado por García Prieto, y en el que casi siempre estuvo en situación de excedencia voluntaria; lo declaró cesante una disposición de Primo de Rivera y lo repuso en el cargo, en 1931, el primer gobierno de la República; la cesantía definitiva le llegó en 1935.

En la vida familiar de los Gómez de la Serna, el primer suceso que conmovió, y hondamente, a sus miembros, fue la muerte de la madre; para Ramón, así lo relata en *Automoribundia,* supuso "la primera entrada de mí mismo en la tierra, mi antedebut en la tumba, el primer paso definitivo en el irse. Si nuestra madre se ha ido, la que fue el imán que nos atrajo en el parto, ahora es el imán del tornar a antes del parto. La misma puerta de entrada que de salida. Ya era fatal el *después yo,* poco o mucho tiempo después, pero al fin después". Aunque se carece de testimonios que documenten lo que voy a afirmar, creo no equivocarme al adscribir a Ramón la condición de hijo íntimamente ligado a la madre; la más singular característica de su vida sentimental, que luego relataré, sólo es explicable atribuyendo a su protagonista ese rasgo psicológico; él justifica la necesidad que siempre tuvo Ramón, nunca amortiguada, de mantener a su lado una figura femenina, a la que se liga con deseos de varón y equívocas añoranzas filiales.

En 1908, y en el prólogo que escribe para encabezar la segunda de sus obras, *Morbideces,* Ramón, impersonalizando la descripción para mejor retratarse, nos dirá de sí mismo: "es un joven de recia catadura, tallada a la manera cruda, endurecida y plástica de Rodin... Enmelenado, fumador de pipa, tocado con un chambergo blando y una bufanda a cuadros, es su continente de los que inquietan a los policías y hacen salir a las porteras de su tabuco creyendo haber dado fuera de turno con una entrega de folletín". Ramón quiere ser escritor, y empieza por acomodar gesto y atuendo a la profesión libremente escogida. Caracteriza al que entonces es, añade, "su expresión, como atemorizada y sorprendida, el extravío manso y tortuoso de su mirada, el *rictus* ambiguo

e indeciso de sus labios, su silencio, su unipersonalismo sosteni-
do... Dos arrugas inextirpables cruzan su frente como relejes que
trazó la caravana de los pensamientos al pasar". Se muestra celoso
de su independencia y gusta de la soledad; era, concluye, "un
solitario trashumante". Frecuenta los puestos de libros y los Mu-
seos, acude a los teatros en día de estreno y no es infrecuente verle
hacer número entre el público asistente a conciertos y conferencias;
su refugio favorito es, lo dice el propio Ramón, "el lugar más recóndito de las bibliotecas". Buscando un paralelo libresco su propia estampa le recuerda a Gómez de la Serna el Henrich de *La
campana hundida* de Hauptmann.

Su segundo viaje a París tiene lugar en 1909; hará posible su
estancia en la capital francesa el puesto de secretario en la Junta
de Pensiones conseguido recurriendo a las amistades políticas de
su padre. Reside en el Hotel Suez del boulevard Saint Michel y
se relaciona con 'Corpus Barga', lejano pariente suyo. "Yo en
París, cuenta Ramón en *Automoribundia*, era pipa y no hombre,
letrero y no alma, viento y no transeúnte, periódico y no lector,
cuadro anatómico y no viviente, japonés y no español, remolque
y no tranvía, cacharro de pinceles y no cuadro, caballo y no co-
chero, silla de los Campos Elíseos y no sedente caballero, y
muchas otras cosas tan al contrario y tan diferentes". Lo que en
su propósito esperaba fuese larga ausencia concluye en la primavera de 1911 al verse privado del cargo que le permitía mantenerse fuera de España. De regreso en Madrid, inicia una vida de
bohemia alegre sólo posible para quien, como él, siendo hijo de
familia acomodada, tiene resueltas de antemano las inesquivables
necesidades de cada día; su estancia en París le ha permitido en-
galanar con nuevos objetos el extraño escenario de su despacho; lo
empezó a decorar, se dijo, con objetos adquiridos en el Rastro; se
acumulan ya en él, con una gran muñeca de cera, velones, cornu-

copias, alfanjes y pistolas; Cristos y vírgenes; un racimo de po-
lichinelas; cajas de música, ídolos negros, caretas de carnaval y
objetos de prestidigitación; del techo cuelgan multitud de bolas
de cristal de diversos colores. "Lo maravilloso de aquel tiempo,
dirá Ramón rememorándolo nostálgico desde su senectud, es que
permitía que fuésemos seres marginales, y había un gran encanto
en gozar de las churrerías nocturnas que eran los cabarets de los
poetas".

Cuando los Gómez de la Serna deciden adquirir un hotelito
en la calle María de Molina, comienza para Ramón, lo relata él
mismo, "una época de mayor asentamiento en la vida". Es ya
hombre plenamente entregado al quehacer literario; se esfuerza
por hacerse un nombre como escritor. En el discurrir de cada
día, la existencia de Ramón, a partir de estas fechas, va a carac-
terizarse tanto por el voluntario enclaustramiento a que se somete
como por los reiterados intentos de fuga con los que busca, sin
lograrlo desde luego, hurtar por completo su vida del mundo que
le envuelve; tal empeño, como el celo con que defiende su aislamiento en el barroco ámbito de su despacho, descubren una singular faceta de su intimidad, también desvelada en varias confesiones hechas en sus obras primerizas, tal, por ejemplo, en *El
Libro Mudo*. Al conducirse de este modo Ramón sigue el ejemplo del primer maestro que tuvo en su formación literaria, 'Silverio
Lanza'. Al relatar su vida en 1923, proclama Ramón la necesidad
que sigue sintiendo de alejarse de cuantos, por ser literato de oficio, se ve forzado a tratar cada día; "hay que huir, hay que apar-
tarse", repite, y añade: "'Silverio Lanza' me dio un alto ejemplo
que no puedo olvidar. Estaba remoto como en una Groenlandia
extrema en su casita de Getafe".

Varios escritores, que entonces le conocieron, han trazado retratos literarios del Ramón juvenil. Alfonso Reyes lo describe

como "un muchacho de corte espeso, ojos inevitables, ancho de facciones, cara eficaz y patilluda...; hijo de familia —con probables escapatorias—, es un acabado madrileño por sus hábitos y su mentalidad mismas". Santiago Vinardell lo presenta así en un artículo que publicó en *La Tribuna*: "Es fornido y menudito, que no convienen las estaturas excesivas a un pensador inquieto. En la faz, redonda y rasurada, desaparece la frente tras unos mechones ondulados, y véis unos ojos pequeños, negros y escrutadores, y unos dientes blancos"; sus manos, puntualiza, "son episcopales hasta en las sortijas que las visten"; en la calle, concluye Vinardell, es "un transeúnte que no tiene nada de particular". En el semanario argentino *Caras y Caretas* Alberto Hidalgo publicó la siguiente semblanza de Ramón: "La primera impresión que hace Gómez de la Serna es muy desagradable. Parece un corcho de botella de champaña. Tiene la cabeza redonda como una bola de billar. La cara es un queso de Holanda. Es bajito, mofletudo y rechoncho. Ni moreno ni blanco; a simple vista tiene una traza de bodeguero, o, a lo sumo, de hijo de bodeguero".

La muerte del padre, acaecida el 27 de febrero de 1922, deshace el hogar en el que Ramón venía sosteniendo la segura existencia de hijo de familia. Puesto en venta el hotelito de la calle María de Molina, Ramón destina su parte en la herencia y también lo que por entonces recibió de un premio logrado en la lotería a edificar en Estoril, cara al mar, el chalet 'El Ventanal', que sueña será refugio ideal, de soledad inviolable, para su existencia. En Madrid Ramón rehace su mundo privado en el ático del número cuatro de la calle de Velázquez; en el 'torreón', nombre con que bautiza su nuevo hogar, concede lugar preferente al cuadro que perteneció al Duque de Rivas, a la vez ascético y sensual, que representa el rostro de una mujer con media faz de incitante hermosura y medio rostro desollado y cadavérico; a las otras mil cosas, dispares y extrañas, que convierten el lugar que habita en alucinante prendería, muchas procedentes de los despachos que tuvo en la calle de la Puebla y en María de Molina, se suma ahora un callejero farol de gas que enciende cada noche y el salvavidas regalo de Gutiérrez Solana. Ramón comparte el 'torreón' con su segunda mujer de cera, maniquí de tamaño natural adquirido por él en París y que vino a sustituir al comprado en el Rastro madrileño; adorna su muñeca de cera con trajes y joyas; ella, confesará años después de haberla perdido para siempre, le "revela el tesoro de signos que es una mujer, y gracias a ella no decae mi trovadorismo, pues si vuelvo defraudado de alguna exploración por el mundo, ella me indica que no es el concepto de mujer el que debe padecer al resumir con desencanto una nueva pasión". Tornaré a recordar aquel singular maridaje con su muñeca de cera cuando relate la vida sentimental de Ramón.

Desde 1922, Ramón Gómez de la Serna se ve forzado a convertir en profesión lo que hasta tal fecha era esparcimiento grato y satisfacción vocacional. Recordando la etapa de su vida que ahora da comienzo escribe en *Automoribundia*: "ya estoy metido en la profesión de literato que consiste en perder el dinero que no se gana. Hago y seguiré haciendo vida literaria, una vida sin compromiso con ninguna otra cosa ni otra etiqueta. Sin ninguna ambición excesiva ni ninguna desambición". Cumplió su propósito; desde entonces y hasta llegar a la ancianidad, Ramón ha sido siempre el escritor puro nunca comprometido en aventuras distintas de las que le fue deparando el quehacer literario; su único deseo, casi siempre logrado sólo con sacrificios y duras renuncias, consiste, lo diré con sus propias palabras, en poseer "una buena lámpara encendida, mucha tinta roja y cuartillas buenas y clarividentes".

Conoció Ramón Estoril con ocasión de sus primeros viajes

a Portugal y el grato recuerdo que de él conservó le induce a edificar en sus proximidades 'El Ventanal'; para dar remate a la obra se vio forzado a recurrir a un prestamista lisboeta. Ante una gigantesca mesa de ocho metros de longitud, Ramón vivió en 'El Ventanal' las jornadas más fructíferas de su existencia como escritor; "al cabo de dos años en aquella soledad fantástica hubo un momento, contaría luego Ramón, en que se me fue a desintegrar la cabeza, sentí como si fuesen a caer sus células piramidales, derretidas en las arandelas de uno de esos candelabros de cristal en que no se consumen las velas sino los pensamientos"; combate el peligro con frecuentes excursiones a Lisboa. La realidad deshizo pronto, y sin posibilidad de reconstrucción, el ideal que consideraba definitivamente alcanzado; el préstamo que le permitió concluir la construcción de 'El Ventanal' le cerca más estrechamente cada día y ante la imposibilidad de amortizarlo ha de vender la casa y con ella los muebles y su biblioteca. Destruido el sueño retorna a España y pasa por Madrid camino de Nápoles; en la ciudad italiana encuentra nuevo refugio en una casa de la Riviera di Chiaja; desde sus balcones puede contemplar la maravilla del mar latino y a lo lejos el Vesubio. Tampoco sería prolongado este segundo alejamiento de Madrid; a su regreso a la Villa que aún es Corte se enterará de la noticia de su muerte que el 15 de septiembre de 1927 difundieron, por error, las agencias informativas; el equívoco deparó a Ramón el raro privilegio de leer su propia necrología. Todavía estuvo, una vez más, en Portugal, en Estoril y Cascaes, antes de rehacer su hogar madrileño, ahora en un piso interior de la calle de Villanueva, donde recompone el barroco decorado de su antiguo 'torreón'; es entonces cuando inicia el empapelado de paredes y puertas con estampas pegadas en buscada mezcolanza, mientras los techos se pueblan con cerca de un millar de bolas de cristal.

De el que Ramón fue en los años veinte poseemos varios retratos literarios. Firma el primero que voy a citar Juan Ramón Jiménez, antigua amistad de Ramón, y fue escrito en 1928; de su faz destaca el poeta "su sonrisa de jamono alegre de conciencia", sonrisa, sigue diciendo, que "le cierra de gusto los ojos, ojos cejudos y entrecejudos de Ramón, parientes de los de Sancho, donde se ve, a veces, rectangulada en el marco de sus patillas azules de pastoso rizo goyesco, la mejor expresión de jenerosa bondad penetrativa, el ansia típica de comprensión y correspondencia de hombre ancho, bajo, plato, saludable, excesivo, inventor, bueno de España". José Pla, que por aquellos años le conoció y trató, ve en Ramón "un hombre muy simpático", y añade: "Impresiona más sentado que de pie. De pie, con el sombrerito, las patillas, la capa, sus carnes y sus pliegues, el cuello ancho, la cabeza y la cara muy grandes y dibujadas, le hacen parecer un hombre corto, un hombre que no ha podido crecer porque su familia, para divertirse, le hacía llevar, cuando era niño, un tiesto en la cabeza... Se le nota demasiado la piel, un poco aceitosa, con un matiz de *morbidezza,* de hombre de interior. En esta posición Gómez de la Serna no dice nada interesante, habla como todo el mundo, es un personaje completamente gris y anodino... Sentado es otra cosa. Cuando se sienta se le produce un fenómeno extraño; parece alargarse y tomar forma de almendra. Entonces su aspecto saludable, su frente ancha y noble, sus ojos negros y salientes en unas órbitas muy marcadas, sus dientes blancos sobre el fondo de sus corbatones, causan una gran impresión. Su voz adquiere un tono metálico, pero aterciopelado". En el retrato hecho por José María Salaverría destaca en la figura de Ramón su corta talla, el perfil "algo rechoncho, con las caderas pronunciadas,

1. EN SU "TORREÓN" DE LA CALLE DE VELÁZQUEZ. *Madrid*

2. RAMÓN EN EL DESPACHO DE SU "TORREÓN". *Madrid*

mofletudo como un chico, las manos muy pequeñas y regordetas, blanco de color, con un fuerte entrecejo que servía para desvirtuar toda la intención entre femenina y de pepona que los anteriores rasgos habían ido reuniendo en la juvenil figura". El aspecto de hombre aún niño que sigue teniendo Ramón cuando la edad lo ha alejado ya de la infancia se corresponde, será confirmado luego, con la inmadurez sentimental, o si se prefiere instintiva, que pienso nunca logró superar.

No concluyeron, con las nombradas, las ausencias de Ramón de Madrid; preciso es recordar ahora su marcha a París a las pocas fechas de estrenar su comedia *Los medios seres*, huyendo de las consecuencias ante las que se vio emplazado por protagonizar un episodio que más adelante relataré. Dificultades económicas, nunca solventadas por completo, le hacen retornar a España para continuar su existencia de escritor que vive la insólita aventura de seguir sirviendo únicamente a su vocación; como luego confesará en *Automoribundia,* sólo cuenta con las diarias colaboraciones periodísticas; los libros, que edita con regularidad, poco contribuyen a remediar sus penurias. En el verano de 1931 hizo Ramón, como conferenciante, su primer viaje a Buenos Aires, la ciudad que pocos años más tarde será refugio de su senectud. Retornó a la capital argentina en 1933, ahora como miembro del comité encargado de dirigir la Exposición del Libro allí organizada. A las puertas de la guerra civil Gómez de la Serna acude al reencuentro de su pasado; el 21 de junio de 1936 celebra las bodas de plata con la carrera que nunca ejerció y en el acto confraternizó con sus compañeros de promoción. Su existencia diaria sigue discurriendo casi en total clausura y doblegada por entero al quehacer literario; como cuenta José Pla, Ramón "sale muy poco de casa. Lleva la vida mejor para un intelectual que quiera trabajar: duerme de día y escribe por la noche".

La guerra civil le sorprende en Madrid, y desde la primera hora el suceso alza en torno suyo una sobrecogedora ronda de temores; recordando aquellas jornadas escribe en *Automoribundia*: "No salí de casa en algunos días y coloqué la librería del diccionario enciclopédico frente a la puerta, porque no sabía quién podía venirme a matar, aunque yo no intrigué nunca, ni conspiré, ni usé del toma y daca, pues sólo estuve distraído en mis cosas para ver si podía dar a mis contemporáneos una visión más exacta de la vida y de la ilusión, que fuese original". Su situación íntima en tan dramática coyuntura, su conducta también, es la típica del escritor a quien la brusca transformación social que toda revolución provoca, desde luego inesperada, devuelve, bruscamente, del mundo ideal y apacible de sus personales elucubraciones, a la realidad; una realidad que no comprende y ante la que se descubre inerme y en peligro. Con premura y agobios Ramón prepara una nueva huida, que ahora será definitiva; sus últimas visitas en el Madrid ya cercado son para Ortega y Gasset, entonces enfermo, y al hogar de Salvador Bartolozzi; obtiene pasaporte para asistir al Congreso de los P. E. N. Club que iba a celebrarse en Buenos Aires y abandona España en Alicante; un barco italiano lo conduce a Marsella, atraviesa Francia y en Burdeos embarca en el *Bell'Isle,* en ruta a los puertos de América. En Buenos Aires la vida para Ramón no resulta fácil; reanuda su intenso quehacer literario y en los primeros tiempos le ayuda eficazmente Oliverio Girondo. Se inicia así la última etapa de su existencia cuya monotonía rompe sólo el viaje hecho a España en 1949. Desde la capital argentina asiste al desarrollo de la contienda civil y tras concluir ésta a los episodios de la segunda Gran Guerra del siglo. Ha rehecho su hogar en un piso de la calle de Hipólito Irigoyen; en él reconstruye el ambiente de su último refugio madrileño.

Relatando lo que pudo contemplar al visitarlo, José Montero Alonso describe así la casa de Ramón en Buenos Aires: "También aquí las mil estampas curiosas, bienhumoradas o dramáticas, pintorescas, extrañas. Son imágenes muy diversas, recortadas de aquí y de allá: rostros famosos o desconocidos, escenas inverosímiles, personajes que no viven ya. Es un 'puzzle' gigantesco, que cubre hasta el techo las paredes: un prieto desfile de fisonomías, de estampas que se entrecruzan y mezclan... Se ve allí a Chesterton, a Pirandello, a Joyce, a Ortega y Gasset, a Maeztu, a Picasso, entre piernas de bailarinas, fotografías de banquetes, grabados de animales"; su mejor tesoro: las bolas de cristal y una colección de pisapapeles. Según Gaspar Gómez de la Serna, "Ramón disimula el muro de la ausencia empapelándolo con el polícromo estampario de su querido barroquismo madrileño...; la misma fantasmagoría que en Madrid decoró el cristal de su sueño creacionista, tapa ahora el hueco de la realidad". Para ser por entero veraces, preciso es añadir que el pequeño mundo recreado por él en Buenos Aires, que le aísla y aleja de la vida circundante, no posee significación distinta de la que en su vida privada tuvieron los hogares que antes habitó en Madrid; al crearlos, decorándolos como gustó hacerlo, Ramón busca dar apariencia de lejanía al vivir de cada día, defender su intimidad de la intromisión de un mundo y una sociedad que siempre le desagradaron.

Cuantos, llegados de España, acuden, ya en Buenos Aires, a conversar con Ramón en su casa de la calle de Hipólito Irigoyen han repetido, casi con idénticas palabras, relatando el encuentro, lo que de este último hogar suyo refieren Gaspar Gómez de la Serna y José Montero Alonso. Uno de aquellos visitantes, Antonio Tovar, destaca, con acierto, el carácter ascético de la existencia que vive el escritor; "aquí, en Buenos Aires, ciudad inmensa, cuenta Tovar, Ramón, medio emigrante, medio nostálgico, se sostiene heroicamente contra toda nivelación y encasillamiento, ciudadano de un mundo impar e inasimilable, juvenil e impetuoso como otrora"; sigue siendo, añade nuestro informante, el que fue en los años, lejanos ya, de la madurez, "ejemplar excelso de la 'vida literaria' como ha sido posible desde el Renacimiento hasta justamente nuestros días". Guillermo de Torre, que le conoce bien, ofrece nuevas precisiones para completar esta estampa de Ramón. Vive en Buenos Aires como lo hizo en Madrid y en París, en Nápoles o en Estoril; "no ha necesitado inventar ninguna Trapa personal. Le ha bastado acogerse —esconderse sería más exacto— a la que desde siempre rondaba. Es decir, se defiende en el reducto de su literaturismo a ultranza"; "la mutación más considerable, sigue diciendo Guillermo de Torre, afecta a lo que llamaríamos su situación temporal. Quien como él vivió durante muchos años en olor de multitud, prodigándose en la comunicación humana, quien alborotó jovialmente en las noches sabáticas de Pombo, se ha recluido hace años en una soledad creciente. Los que le conocieron y oyeron en Madrid, en París, en Nápoles, en Lisboa, en cualquiera de las ciudades donde vivió y donde, por largos años, su presencia fue clamorosa, difícilmente imaginarán qué lejano e invisible vive ahora en la gran ciudad que le rodea. ¿Por qué? —nos preguntarán—. ¿Cansancio, temor a las discrepancias, ahincamiento cada vez más intenso en la obra enorme, inacabable de *recontador* del mundo en que se halla embarcado? De todo hay o puede haber en las causas de este enclaustramiento, sin aludir a otras más obvias que él no recata, de orden económico".

Sin negar por completo veracidad a las razones aducidas por

Guillermo de Torre, creo son otras las que mejor ayudan a entender este aislamiento del escritor; de éstas, dos las considero fundamentales. Una de ambas es la senectud, edad que empuja a quien la vive a una progresiva introversión; la segunda radica en el propio mundo que ahora envuelve a Ramón, una situación histórica bien distinta, a despecho de su proximidad temporal, del mundo social y sobre todo cultural e ideológico que tuvo vigencia en el período de entreguerras, cuando vivió los mejores años de su vida. José Pla, que también ha visitado a Ramón en su refugio bonaerense, recoge, en el relato que hizo de la entrevista, algunas amargas y resignadas confidencias del escritor; lo encontré, escribe Pla, "muy animado, habla sin cesar y, sin embargo, se desprende de su figura un aire de fatiga y de tristeza"; el propio Ramón, en una de las patéticas cartas que se escribió a sí mismo, confiesa: "He llegado a la soledad suprema en esta ciudad, que se puede pasear de arriba a abajo sin encontrar a ningún conocido". Los agobios económicos hacen aún más duro el vivir de cada día; reiteradamente hace alusión a ellos en sus escritos autobiográficos; confiándose a José Pla le dice: "Mis libros no se venden. No se venden nada, cero... El dinero no se me acerca. Pasan los días, los años, ha pasado la vida y el dinero continúa siendo para mí un mero pretexto de conversación". Sus necesidades cotidianas sigue cubriéndolas no dando descanso a su quehacer de escritor, con colaboraciones periodísticas sobre todo.

En Madrid piensa Ramón que las posibilidades de seguir viviendo de lo único que puede ofrecer serían menores y tal convicción, acertada o errónea, esto poco importa, es, no cabe dudarlo, el principal motivo que le mantiene alejado de España; tal es, desde luego, la razón que aduce en su charla con Pla: "En España, ¿cómo podremos defendernos? ¿Se pretende someterme a la prueba de vivir del agua del Lozoya y del aire del cielo? Se escriben artículos sobre mí, pero mis libros no se venden [alude a España]; están siempre en depósito, sumidos en su sueño eterno". La visita que hizo a Madrid en 1949 le confirmó tal suposición; relatándosela a José Pla, añade Ramón: "observé, en el curso de nuestro viaje, que si los primeros días de nuestra estancia estuvimos rodeados de gente, a medida que fueron pasando los días, el grupo se fue adelgazando y disolviendo. El interés, sospecho, fue decreciendo. Cuando tomamos el barco en Bilbao, para regresar aquí, nadie nos despidió. Nos marchamos en una soledad total, completa". A explicar lo sucedido acude con la bien probada indiferencia de la sociedad española por la vida cultural, el hecho, asimismo innegable, de que la España que Ramón visitó en 1949 era muy distinta de la abandonada por él en 1936. Ramón significaba, en 1949, la reaparición de una figura considerada como histórica, y por tanto inactual. La curiosidad que en algunos pudo despertar el poder dialogar con el pasado se agotó pronto. De otra parte, es sabido, en España no existe aún densidad cultural suficiente para permitir a un escritor vivir a expensas sólo de su renombre.

El Parlamento argentino, a comienzos de 1962, aprobó la concesión de una ayuda económica vitalicia al escritor avecindado en Buenos Aires; ignoro si los acontecimientos que muy poco tiempo después llevaron a grave crisis la vida política del país han permitido que tan generosa iniciativa cobrara efectividad; en España aquel acto tuvo su réplica en la concesión a Gómez de la Serna del primer premio 'Madrid' instituido por la 'Fundación Juan March'.

Se ha narrado de la existencia de Ramón algo de lo que sus coetáneos saben y ahora era preciso relatar, pero esta rememoración quedaría incompleta si no nos adentráramos en su vida privada para dar remate a este inicial esbozo de su personalidad y obtener, asimismo, los elementos de juicio que permitan luego interpretar su obra literaria. Esta intromisión en la intimidad de una existencia obliga a quien la realice a extremar el respeto que el hombre debe siempre inspirar, observando, a un tiempo, la máxima cautela; quiero decir que nada de cuanto ahora exponga es fruto de meras conjeturas; por fortuna Ramón nos ofrece en el amplio mundo de sus obras sobrados testimonios con que fundamentar lo que ahora es forzoso conocer.

Si la presencia de la mujer, su ausencia en ocasiones, compone capítulo obligado en la vida de todo varón, en algunos, tal sucede a Ramón, la necesidad de la mujer adquiere categoría de exigencia primaria, obsesiva casi. Esto, que posiblemente tiene explicación biológica, se entenderá mejor si pensamos que ante la mujer el hombre puede adoptar dos actitudes que yo denominaría quijotesca y donjuanesca, y aunque, en la mayoría de los casos, la conducta sexual se gobierna por una mezcla proporcionada de ambas tendencias, en contadas ocasiones el predominio de una de ellas puede ser tal que anule o haga inoperante a la otra; en la literatura el arquetipo de estas posturas extremas son Don Quijote y Don Juan; para el primero la mujer es mera creación intelectual y la desmesura en el proceso de idealización impide dar realidad carnal al sueño; en Don Juan, por el contrario, la mujer, puro sexo, carente casi en absoluto de dimensión espiritual, apenas sobrepasa su primaria condición de objeto libidinoso, y también aquí, si bien por un mecanismo contrario, se llega a una impersonalización de la figura femenina, pues cualquier mujer es capaz de atraer y seducir. Esta reflexión, sobre la que no creo conveniente insistir, servirá de prólogo al relato de la vida erótica de Ramón, en la que se comportó, espero demostrarlo con el testimonio de sus propias confesiones, como un típico Don Juan.

El despertar de Ramón a la vida sexual fue muy precoz; la primera inquietud la suscitó en él una niña, Clotilde se llamaba, pálida y morena, hija de los porteros de su casa en la calle de las Rejas; por aquel tiempo, tiene entonces ocho años, motivó en él profunda turbación una señorita de la vecindad de quien, a la hora de relatar estos episodios de su vida infantil, sólo recuerda era blanca y bella. Estando en Palencia, y en plena crisis puberal, le dominó un típico amor de adolescente; se lo inspiró, sin saberlo, claro, una maestra de la Normal; la adora a distancia y cierto día, para poder hablar con ella, abandonará sus deberes de escolar. Otras polarizaciones de su inquietud erótica fueron su prima Cristina, a la que profesó, durante años, un amor callado, y en Palencia, durante una segunda estancia en esta ciudad, una joven vendedora de lotería. En Madrid, superados ya los desmaños de adolescente, mantiene fogosos amores con la sobrina de una bailarina del Teatro Real, mundo éste en el que le introdujo Fernando Calleja; aquella jovencita propuso a Ramón la fuga, negándose él a consumarla. Tiene su interés el episodio; Ramón, también en esto típico donjuán, será, en su vida de varón, más que conquistador personaje pasivo de las aventuras a que le lleva su previa sumisión al instinto. En la sincera confesión de sus memorias, Ramón alude a otros amores aún más fugaces que los reseñados; ninguno tuvo verdadera influencia en su vida y a ellos puso fin, temporalmente, su temprana y prolongada amistad con Carmen de Burgos, suceso éste decisivo en la existencia privada de Ramón, por lo que será luego relatado con el pormenor que requiere.

No obstante mantenerse fiel a Carmen de Burgos, su donjuanismo impulsó a Ramón a vivir otras experiencias. Mantuvo relación con una señorita asturiana, y por ella fue a concluir a Oviedo su carrera de abogado; estando en París, en 1909, entabla amistad con una mujer divorciada, de la que conocemos su nombre, Magda; *La viuda blanca y negra,* novela publicada en 1917, rememora algo de aquella aventura iniciada en los Jardines del Luxemburgo. Al marchar precipitadamente a la capital de Francia pocos días después de estrenar su comedia *Los medios seres,* una muchachita pintora, que acudía a las tertulias de Pombo, pretende entrometerse en la vida del escritor y al no lograrlo intenta suicidarse; ya en París, Ramón reanuda el episodio iniciado veinte años antes, Magda acude al hotel en que se hospeda y más tarde lo visita en Madrid; recordando a esta mujer, escribe Gómez de la Serna en *Automoribundia*: "Siempre tímida, con sus resplandecientes ojos azules, con sus besos que no se oían de finos que eran, sabía atender a la pasión que debe correr bajo la cordialidad y la melancolía...; no la olvidaré, añade, porque su caridad de amor fue inextinguible". De regreso en Madrid, aún no rota la relación con Carmen de Burgos, Ramón continúa siendo servidor de su sexo; relatando su existencia de entonces, escribirá: "mi vida es feliz, libre y con tres amorosas que tienen señalados tres días alternados, lunes, miércoles y viernes, para que mi sirvienta, que viene martes, jueves y sábados, no se tope con ellas. Tengo una habitación de puerta disimulada con carteles de toros, por si algún día hay interferencia de admiradoras escogidas". La confesión, lo que ella revela, también la delectación con que es narrada, hacen innecesario el comentario.

En la madurez de su existencia, estamos en 1931, Ramón conoce en Buenos Aires a la mujer capaz de colmar por entero sus deseos, quien será desde ahora sombra de su vida, ocupando en ella el lugar que por tantos años conservó Carmen de Burgos. Se llama Luisa Sofovich, es hija de padres rusos, de raza hebrea y bastante más joven que él; estaba divorciada y tenía un hijo de pocos meses. El escritor regresa a España casado. Se hizo proverbial la completa ligazón de Ramón a su esposa. "Luisita es el perfecto ideal femenino", nos dice en *Automoribundia,* y en la misma obra, escrita en 1948, se lee: "Son ya diecisiete años de no separarnos ni un momento —gasta moño para que la peluquería no tenga que entretenerla con trenzados y ondulaciones— y se podría decir con absoluta verdad que no nos hemos separado ni una hora, pues hasta en las sabáticas noches de Pombo yo desaparecía del café media hora y en raudo taxi que me traía y me llevaba la veía un momento y la consolaba de la ausencia llena de gritos y discusiones. Lámpara mía, yo también he unido mi luz a la suya y nuestras veladas se han completado en la cordial luz que necesita la pareja humana para no sufrir de soledad." Convertida en personaje literario Luisa Sofovich cobra vida, con el nombre de Leonor, en *¡Rebeca!*, novela publicada en 1936 y texto de lectura obligada para entender la vida privada de su autor. En este relato, el héroe del mismo, Luis de nombre, reencarnación de Ramón, nos narra su afanosa búsqueda de la mujer ideal, Rebeca, a través de una ininterrumpida sucesión de aventuras eróticas que concluyen al adentrarse en su vida Leonor, viuda y judía de raza; ya en el seguro puerto de esta relación Luis rompe con su pasado; "había logrado la Rebeca posible", dirá Ramón de su criatura. En las páginas finales de la novela, teorizando sobre el amor, Luis da de él esta definición que se ajusta bien a su personal experiencia: "El amor es como haber muerto y vivir... Sentirse resucitado de toda la vida que pasó."

Entre sus experiencias juveniles y este encuentro con el verdadero amor, viviendo ya años de madurez, Ramón se mantuvo fiel a su relación con Carmen de Burgos, mujer que influyó, y hondamente, en su obra de escritor. Carmen de Burgos Seguí, más conocida por el seudónimo literario de 'Colombine', había nacido en Almería en 1879 * y cuando la conoció Ramón, en 1908, era profesora de Literatura en la Escuela Normal de Madrid, ocupación que compartía con el ejercicio del periodismo, la crítica y la creación novelesca, mantenida de modo regular desde 1900; casó muy joven y enviudó pronto. Cansinos-Assens, que la conoció bien, alude a ella en cierta ocasión llamándola 'la que se parece a Jorge Sand'; en la autobiografía que reproduce en su *Historia de la lengua y literatura castellana* Julio Cejador, Carmen de Burgos dice de sí misma: "Nadie me habló de Dios ni de leyes; y yo me hice mis leyes y me pasé sin Dios. Allí sentí la adoración del panteísmo, el ansia ruda de los afectos nobles, la repugnancia a la mentira y los convencionalismos... Sólo creo en el arte y no siento amor más que por los artistas"; en otra confesión, ésta publicada en la revista *Prometeo*, en 1909, afirma: "hoy sólo creo en mi arte y acepto el amor como bella mentira, una forma más perfecta de la amistad".

Conoció Ramón a Carmen de Burgos, queda dicho, en 1908, y es al siguiente año cuando las vidas de ambos quedan firmemente enlazadas; "por entonces, es Ramón quien habla, aparece en mí lo excepcional, el amor compatible con el ser literario, la relación con la escritora que vive independientemente aunque pobre, gracias a artículos mal pagados, a un puesto de maestra y a traducciones", y añade: "Hermosa, andaluza, noble, en la plenitud de sus treinta años, quiere luchar como mujer y escritora contra los prejuicios y realizar en las novelas los idilios a los que se opone la vida". Esta mujer, con madurez, experiencia y conocimiento de la vida es quien logra, y por bastantes años, polarizar en la medida que ello resultaba posible el inte-

---

* Julio Cejador da como fecha de su nacimiento la de 1876.

rés y los siempre acuciantes deseos varoniles de Gómez de la Serna.

En diversas ocasiones ha hecho Ramón historia de lo que podía contarse de su relación con Carmen de Burgos; aludiendo a la fecha ya lejana de su encuentro dice en *Automoribundia*: "Emprendía ya con pareja la lucha por hallar el significado de la vida y poder transcribirlo"; es el que los une emparejamiento de hombre y mujer y a la vez unión de literatos animados por idénticos afanes: "Nos conminábamos para no hacer ninguna concesión: todo, la vida o la muerte, a base de no claudicar. Pensábamos seguir, pasase lo que pasase, el escalafón rígido y heroico de ese vivir... Aquella unión hizo posible la bohemia completa, establecida en el más noble compañerismo". No creo equivocarme al calificar la relación de Carmen de Burgos y Ramón Gómez de la Serna, por la personalidad de sus protagonistas, la diferencia de edad entre ambos y su prolongada vigencia, de caso único en la historia literaria de nuestro tiempo. Sigue hablándonos Ramón: "Ella de un lado y yo del otro de la mesa estrecha escribíamos y escribíamos largas horas y nos leíamos capítulos, crónicas, cuentos, poemas de la prosa... De nuestra propia novela inquieta, difícil, perseguida, van a salir las primeras entregas, las primeras figuraciones, las primeras angustias imposibles. Era la enclaustración de dos en compañía, y como en buzones de espera iban cayendo las cuartillas en los cajones de la mesa". De su cotidiano encuentro con Carmen de Burgos Ramón sólo retorna al hogar familiar cuando ya en la noche se atisba la primera luz de un nuevo día. Carmen convive con Ramón en París en 1909, ambos hacen entonces un viaje a Londres y juntos recorren Italia; años más tarde pasan temporadas en Portugal. Lo que de filial en uno, y maternal por tanto en el otro personaje, hubo en la prolongada relación de Ramón con Carmen de Burgos lo descubre Luis Ruiz Contreras, amigo de ambos, en carta escrita por él a 'Colombine', con fecha de 5 de abril de 1922, al decir en ella aludiendo a Ramón: "su existencia, a la sombra de usted, es de niño".

Varios son los retratos literarios que Gómez de la Serna trazó de Carmen de Burgos; de ellos transcribiré el que mejor puede ayudar a comprender lo que esta mujer supuso en su vida. En 1909, y en una semblanza de 'Colombine' que Ramón publica, sin firma, en la revista *Prometeo,* tras calificarla de 'mujer inverosímil', escribe de ella: *"Colombine* es Aspasia y María de Magdala, es Penélope, es Proserpina, a la vez que la Virgen María, es Elena, es Santa Genoveva, que se empobrecía por los pobres, es Friné y es Juana la cenobita; es María de Médicis, es Salomé que solicita la cabeza de Yo'Kannán, y es Herodiade...; es María Antonieta, y a contrapágina Carlota Corday; es Nelly, que acompaña al forzado Dostoïevsky y la pequeña Sonia que besa compadecida al asesino Rodión, y también en medio de todas estas mujeres tangentes y abordadas es esa *musmé* inabordable de Tokio que es la *Princesa de la primavera...*; es púber e impúber, frívola y solemne". El texto leído, compuesto con todos los posos de sus lecturas, permite ahondar más que una pormenorizada indagación en la verdadera naturaleza de los sentimientos de exaltada sorpresa con que el juvenil y fogoso Ramón debió recibir la entrega y patronazgo con que era acogido por una mujer, escritora con nombre ya conocido y que le superaba, antes lo dije, en edad y experiencia. En 1910, en *El Libro Mudo,* Ramón se dirá a sí mismo: "ella está a nuestro lado porque se pasó a nuestro lado sin compromiso y sin trabacuentas. La quiero por como sabe ser sola, y no tener ley".

Estos iniciales sentimientos de Ramón hacia Carmen de Burgos, en los que se mezclan satisfacciones de muy varia condición, conservan todavía su vigencia trece años más tarde de la última fecha citada. Estamos ahora en 1923; Gómez de la Serna redacta su primera autobiografía, la que publicó, a modo de apéndice, en *La Sagrada Cripta de Pombo,* y en uno de sus capítulos, relatando su relación con 'Colombine', que ha entrado ya en su tercer lustro, se lee: "Desde 1909, hay todas las tardes de mi vida un consuelo suficiente de la más pura camaradería. Me refugio para seguir trabajando en casa de mi querida amiga Carmen de Burgos... Esto ha sido muy importante en mi vida y no tendrá olvido"; añade: "La existencia de mi credulidad literaria de hace unos años sólo la ha hecho posible el compartir las tardes de una mujer independiente, despejada de pedantería y de puerilidad; mujer sensata, afanosa, de naturaleza admirable. Ni entrometida, ni impertinente, ni redicha."

Transcurre un cuarto de siglo más; lo que para Gómez de la Serna fue Carmen de Burgos es sólo un recuerdo, la propia 'Colombine' ha muerto hace bastantes años; Ramón narra por última vez, en *Automoribundia,* la historia de su relación con ella y lo que después sucedió. Las palabras usadas ahora para relatarlo, su tono incluso, descubren algo que antes ocultó: "Había encontrado —es, naturalmente, Ramón quien habla— una unión noble, pero no había habido en ella esa esencia raptora que se necesita en los amores. Había sido un muchacho ofuscado por una belleza de treinta años —¡cuidado, biógrafos, porque aunque esa unión dure muchos años no debéis olvidar su principio!—, y yo con diecisiete años delirantes *. ¡Espléndido encuentro! Pero después habían de pasar muchos años sobre ese gran premio que fue para mí encontrar mujer bella, noble y con

---

* Si sus confesiones anteriores no mienten, Ramón tenía en realidad veintiún años (1909) al iniciar su relación con Carmen de Burgos.

talento, hasta que los 'Medios Seres' vinieron a ser su desenlace y me dejaron a mí mismo convertido en medio ser". Esta confidencia de Ramón confirma el carácter 'maternal' del papel que Carmen de Burgos representó en su vida privada, apuntado ya por Ruiz Contreras. El texto ramoniano transcrito alude al motivo que puso fin a la convivencia del escritor con Carmen de Burgos, suceso acaecido dos años antes de conocer Ramón en Buenos Aires a Luisa Sofovich. El hecho, que aparece emparejado al estreno de su comedia *Los medios seres,* tiene precedentes en cuyo relato Gómez de la Serna nunca ha querido ser muy explícito. Trataré de referirlos ateniéndome a lo que de ellos se puede saber con alguna certeza.

Por deseo de Carmen de Burgos, Ramón pretende imponer en el reparto de actores que debían representar *Los medios seres,* a Carolina de Burgos Seguí, quien en el relato de lo acaecido es mencionada con el sobrenombre de 'la hija de la mujer de cera'; Carolina era, se nos dice, buena recitadora y poseía dotes de actriz. Al no lograr su propósito 'la mujer de cera' exige la suspensión de los ensayos, petición no compartida por Carolina, lo cual viene a favorecer, indirectamente, el cerco de seducciones puesto a Ramón, desde hacía entonces algunos años, por 'la hija de la mujer de cera'. La misma noche del estreno de la comedia, su autor sucumbe a la tentación; su marcha a París, pocas fechas más tarde, no se la impuso el fracaso de sus ilusiones como dramaturgo, sino la naturaleza del episodio pasional que aquellos mismos días protagonizó; "por debajo de aquella decisión, confiesa Ramón en *Automoribundia,* había un secreto, la hija de la Muñeca de Cera había sido un espejismo lateral del teatro, un contagio de los medios seres, pues me sentí un hombre entero necesitado de dos medios seres de la misma cera, y la experiencia había sido inútil...; volví a mi integridad, y un día, después de 25 días juntos de idilio, quedó disuelta aquella quimérica pasión y huí a París". El suceso ayuda, como pocos, a conocer el temperamento de Ramón; 'donjuán' una vez más conquistado por la mujer, víctima de sus propias debilidades, busca salvación en el alejamiento y para dar mayor color a la escena, en la preparación del viaje, una jovencita intenta suicidarse ante su desdén y ya en París retorna al amor de otra dama a la que abandonó veinte años antes.

De la relación entre Ramón y Carolina poseemos un documento literario cuyo carácter autobiográfico lo confirma el propio Gómez de la Serna; es éste el relato 'La saturada', publicado en *La Novela Corta* en 1923. Se narran en él las experiencias amorosas de Salvador, personaje de edad ya madura que vive en compañía de su hermana Lola y la hija de ésta, Mercedes; de Mercedes, con sus diecisiete años, destaca el autor su insaciable sensualidad, el decidido propósito que abriga de vencer a su favor la equívoca actitud que ante ella mantiene su tío, quien, lo diré con palabras del novelista, "se había fijado en Mercedes como un viajero más de los que se asoman a ver a la hermosa viajera que viaja en el compartimento central del vagón corrido. Estaba tan enamorado y deseoso de ella como los demás viajeros, pero como era su tío, se abstenía... Sin embargo, se asomaba todo el día a la vida de Mercedes". El 'triángulo' que componen, con sus imaginarias existencias, estos tres personajes tiene fácil interpretación; bastaría cambiar sus nombres y deshacer el lazo de sangre que une a Salvador y Lola para dejar al desnudo, y en toda su crudeza, una singular situación vivida realmente por Ramón, en la que naufraga, lentamente, su viejo amor juvenil y que desemboca a su desenlace con ocasión de poner en escena *Los medios seres.* Que lo dicho no es una gratuita suposición lo avala, según dije, el propio Ramón cuando escribe en *Automoribundia,* refiriéndose a la tormentosa pasión a

3.   DOS ASPECTOS DE LA DECORACIÓN DEL "TORREÓN". *Madrid*

4. LA MUÑECA DE CERA

5. RAMÓN Y SU MUÑECA

6.   RAMÓN EN EL RASTRO

que le empujó 'la hija de la mujer de cera': "Entonces me arrastró una afición larvada ya descrita en mi novela *La saturada*".

Todavía contamos con un segundo testimonio, también literario, de este novelesco episodio de la existencia privada de Ramón; se encuentra en ¡*Rebeca*!, novela, antes lo indiqué, en la que su autor hace historia de lo más íntimo de su vida, y escrita, el dato conviene tenerlo en cuenta, cuando la muerte de Carmen de Burgos, acaecida cuatro años antes, le permitía ser más explícito en las confidencias. Luis, el protagonista de la narración a que aludo, en cierto momento de su vida, entabla relación con María, hija de un antiguo amor suyo; razonando esta pasión, dirá el personaje estas significativas palabras: "¿Qué podía importar? —Vengaba oscuridades y aprensiones de su antigua amante. Hay una venganza que sólo permiten las hijas amorosas a los amantes que no encontraron en la antigua amante saciedad a su sed de infinito". Embozado en la ficción novelesca, Ramón se permite declarar lo que calla en sus autobiografías; viene a decirnos que en los últimos años de su relación con Carmen de Burgos se le hizo difícilmente soportable una convivencia que acogió alborozado y con orgullo cuando apenas había logrado vencer las primeras turbulencias de la pubertad. Del carácter de su relación con María, también nombrada como 'la hija de la mujer de cera', la novela que cito proporciona otra aclaración reveladora; de ella confiesa Luis: "El no había tomado la iniciativa", y añade: "el encanto del amor con ella no tenía parecido".

A su regreso de París tiene lugar el reencuentro con Carmen de Burgos; "el domingo, escribe Ramón en *Automoribundia*, lo consagro a la amada antigua, con la que acabé como epílogo de 'Los Medios Seres', antes de irme a París, pero que merece esa visita de los domingos". En 1931, lo sabe el lector, Gómez de la Serna retorna de Buenos Aires casado con Luisa Sofovich; ello supone una definitiva ruptura con el pasado, y esto, tal es cuando menos su íntima preocupación, sospecha puede provocar una violenta reacción en quien sigue considerándose con derechos sobre su vida; también al relatar este capítulo de su existencia la confesión de Ramón es sincera; escribe en sus Memorias: "a mi llegada a Madrid se me presentó una situación confusa con algo de temor, más que por mí por ella, temiendo esas venganzas que no dudan. Hubo que inventar secretariados, viajes, disimulos ante lo grave y lo solapado. Yo era libre desde antes de irme a América, desde la malhadada noche de 'Los Medios Seres', pero la ostentosidad pública de volver unido a mujer de otro país podía levantar cóleras dormidas en la raza mora. De aquellos días nos quedó una herida secreta, abierta por un suspicaz instinto de conservación...; claudiqué durante una temporada ocultándome un poco, pero era por miedo a una venganza andaluza que pusiese por medio la irreparabilidad de la sangre". Nada sucedió, eso es cierto, y al temor puso punto final una tácita aceptación en la que todos hicieron concesiones. Concluye Ramón sus confidencias recordando la muerte de Carmen de Burgos, que sobrevino la noche del 9 de octubre de 1932; aquel día, es Ramón quien nos lo dice, había concertado con ella la habitual entrevista dominical "en que me leía sus memorias con páginas llenas de lágrimas que no podía leerme *a mí* precisamente".

El relato de la vida privada de Gómez de la Serna realizado siguiendo con fidelidad sus propios testimonios, no sólo completa la estampa de Ramón que en este capítulo inicial de su retrato era preciso dibujar, pues asimismo servirá para luego entender aspectos importantes de su obra literaria y ante todo para explicar la sobrevaloración manifiesta del puro vivir instintivo en el marco de su mundo ideológico. Fue Ramón hombre dominado por necesidades que le forzaron a mantener siempre a su lado la presencia, viva o inerte, de una figura femenina; sus grandes pasiones como sus fugaces amoríos, las muñecas de cera de su refugio hogareño, el matrimonio tardío, cuanto, en suma, queda narrado en lo que antecede viene a reafirmar esta conclusión. Su formación libresca como sus convicciones y la ausencia de freno moral contribuyeron también a acrecer tales impulsos y hacerlos indomables. Considero obligado exponer ahora, con pruebas, las conclusiones que Ramón dedujo de su personal experiencia de amador, destacando, como merece, la condición de principios básicos que a estas definiciones quiso conferir.

Los testimonios nos los deparan ya sus libros primerizos. En *Morbideces,* obra publicada a los veinte años, Ramón escribe: "El *leitmotive* de los actos humanos es la voluptuosidad", gobernada por el egoísmo, "dínamo único de toda volición". "Todo lo que se tacha como pecaminoso en el hombre le es natural", y por ello, añade, "hemos de recalcar, sobre todo, que la constitución apasionada del bajo vientre... tiene una entrañable relación con la fisiología general, que no puede soñarse separada de él ni a él separado de ella"; en apoyo de esta opinión cita textos de Pierre Louis y Willy, de Hervin, Anatole France y Remy de Gourmont, en aquellas fechas lecturas preferidas de Ramón. Su concepción de la mujer será, en lógica consecuencia, antirromántica; tras reconocer su incapacidad para explicarse la postura erótica de Werter, Larra y Musset, afirma Ramón hablando de la mujer: "la estimo de la manera más ajena al espíritu". No interesa valorar críticamente éste y como él los restantes argumentos de Gómez de la Serna que aún transcribiré; para mi intento es suficiente conocer desde ahora que tales opiniones, en las cuales posteriormente sólo introdujo modificaciones que en nada afectaron a lo sustancial de las mismas, fueron mantenidas por Ramón a lo largo de casi toda su existencia, e influyeron, y decisivamente, tanto como en su existencia privada en su labor entera de escritor. Quien así pensaba, y no tuvo recato en confirmarlo por escrito, era el joven con el que intimó Carmen de Burgos en 1909 y por ella fue conquistado.

El erotismo siempre insaciado, obsesivo realmente, de Gómez de la Serna, conforme lo permite comprobar la lectura de muchos de sus libros, descubre cierta inmadurez psicológica, hace pensar en un hombre que viviera una prolongada y por tanto anómala adolescencia; acaso influyó en ello, sin que esto suponga menospreciar la intervención de factores propiamente individuales, su precoz ligazón a una mujer que le superaba en edad y experiencia, y a la cual vivió unido, según se sabe, cuatro lustros, hasta una hora de su vida en que para muchos, acaso también para él, la juventud es don ya perdido. Los reiterados intentos de Ramón por trascendentalizar el erotismo, su visión simplemente carnal de la mujer, no son en verdad originales. La más brutal y desde luego sincera expresión de aquella convicción suya, de la que nunca renegó, figura en ¡*Rebeca*!, historia novelada de su vida de varón, y se contiene en esta rotunda frase: "La mujer es sólo un triángulo crespo". De 1910, e incluida en el prólogo que encabeza su obra *El Libro Mudo,* es la siguiente confesión en la que se alude impersonalizando la referencia: "Oye por excepción a las mujeres. Desde sus doce años, no ha podido vivir sin novia". Ante la radical soledad que Ramón, en la obra citada, atribuye al ser humano, en su actitud frente a la convivencia por tanto, sólo da cabida a la mujer. Esto que ya afirma en sus primeros escritos, que repite, sin variaciones, en muchas de sus obras posteriores, lo reitera en la confesión general hecha en *Automoribundia*; "el hombre, escribe ahora, nació en el Paraíso, no para ser sociable, sino para vivir solo con su mujer"; en el libro que menciono tras reconocer haber sido 'un obsesionado por la mujer', añade: "La mujer representa a mi lado el idilio porque el idilio es imprescindible para la tranquilidad creadora. Durante cuarenta años no ha habido noche en que no descansase mi mano sobre el arco pomposo de la mujer, ese otero o alcor que es la cadera femenina enarcada en el sueño".

CAPITULO II

EL ESCRITOR

Conoce el lector lo que importaba recordar de la existencia de Ramón Gómez de la Serna y también aquellas intimidades de su vida que confieren dimensión humana a su retrato y han de ser en momento oportuno cita obligada para entender buena parte de su obra de escritor. El capítulo que ahora inicio contribuirá a esta rememoración del que fue Gómez de la Serna describiendo sus actividades profesionales; hablaré aquí, dicho con otras palabras, del literato que desde casi los años de la infancia quiso ser Ramón y lo fue, con ejemplar constancia y bien probada vocación, hasta la edad extrema de su senectud.

El logro de este ideal, convertirse en escritor plenamente vocado al quehacer elegido, su afán por vivir cerrado en el artificioso y barroco mundo de su 'torre de marfil', rehuyendo cualquier concesión a la sociedad en la que hacía número; su existencia, en suma, de escritor no comprometido, la hizo posible, tanto como su firme deseo por lograrlo, la propia circunstancia social propicia a la vida fácil y placentera que enmarcan los dos grandes conflictos bélicos del siglo. Este propósito de Ramón fue meta que también aspiraron alcanzar y de hecho conquistaron otros escritores, europeos y españoles, coetáneos suyos. La coyuntura histórica empieza a no ser favorable a tal actitud vital en el decenio que antecede a la segunda Guerra Mundial; durante los años treinta, en España al igual que en Europa, las comunidades humanas, cada vez más abiertamente enfrentadas en grupos ideológicos contrapuestos, a quienes gobiernan convicciones poco o nada propicias al diálogo y la contemporización, exigen de todos, desde luego también de los escritores, una neta definición y no aceptan las posturas desinteresadas por lo que a la mayoría preocupa e interesa. En la obra de Ramón, sobre todo, es natural, en sus escritos autobiográficos, se hallan sobrados testimonios para confirmar lo que digo; es posible que su tenaz resistencia a plegarse a tales imposiciones sociales explique ella sola su voluntaria expatriación, que dura desde el verano de 1936. Conozcamos ahora, tras este obligado preámbulo, cómo Ramón representó su papel de literato en el retablo de la cultura española.

Ramón Gómez de la Serna descubre su vocación de escritor en edad muy temprana, siendo todavía un niño. Su primer libro, *Entrando en fuego* lo tituló, se publica en 1904; tiene en tal fecha dieciséis años. Desde entonces, y hasta su muerte, Ramón ha mantenido sin desmayos un ritmo de producción literaria de la que es elocuente testimonio su copiosa bibliografía; la fecundidad es mérito que nadie podrá regatearle. Esta facilidad, comentada en tono de crítica por algunos, la justifica Ramón en su primera autobiografía con estas palabras: "Es que doce horas de trabajo dan mucho de sí, permiten levantar la cabeza sobre las cuartillas, reflexionar, esperar, y cunden más cuando ni un solo día se distrae uno, cuando apenas se ve a los amigos más queridos. Y el año tiene muchos días si no se hace fiesta de ninguno."

Gómez de la Serna inicia su vida de escritor tomando postura ante el mundo literario en el que busca ingresar; el extremismo crítico de sus juicios, que no puede sorprender, los años se encargaron de paliarlo hasta hacerlo desvanecer casi por completo. En *Morbideces,* su segundo libro, Ramón califica despectivamente de 'prohombrillos' a 'Azorín', Valle-Inclán y Baroja, a Felipe Trigo y Salvador Rueda y como a éstos a otros escritores de prestigio menor; el Ateneo, del que es visitante asiduo, lo define como "centro de corrupción intelectual"; su repulsa alcanza también el terreno de las artes plásticas; las Universidades y otros centros del saber son para él instituciones "tediosas, plúmbeas; chamizos de la rutina y de la extenuación". Reitera esta formulación de sus convicciones en la memoria *El concepto de la nueva literatura* que leyó en 1909 como secretario de la Sección de Literatura del Ateneo madrileño, dando tema a una áspera polémica en la que tuvo como único valedor al doctor Farreras, amigo de 'Silverio Lanza'. Constituye la citada memoria un ataque frontal, sin reservas, a la literatura española de su tiempo y al modo de cumplir los escritores de entonces su quehacer. Reconoce aquí Ramón como inspiradores de su ideario a Emerson, Stirner, Nietzsche, Gorki y Haeckel; "hoy no se puede escribir una página ignorando a Nietzsche", afirma; influye en la literatura la filosofía y también la vida, "esta vida de hoy desvelada, corita, contundente como nunca". En la literatura, la que él propugna desde luego, "todos sus imperativos son carnales"; "la nueva literatura, sigue opinando Ramón, tiende a ser lo menos literaria posible en la acepción pública e histórica, incapaz y apocada de esa palabra", y en ella deberá predominar lo personal ("toda obra ha de ser principalmente biográfica") y lo actual ("somos de nuestro tiempo"). En lo que atañe al estilo, las afirmaciones de Ramón son también contundentes; el estilo no puede seguir siendo 'mera indumentaria'; "no ha de notársele", añade, y repite para apuntalar este criterio la frase de Shaw: 'el estilo es tener algo que decir'.

Pocos años después de la fecha en que formuló estas opiniones, en el prólogo a su drama *El teatro en soledad* (1912), Ramón reitera sus críticas a la obra de los escritores 'noventayochistas' y 'modernistas' y amplía, con ayuda de nuevos argumentos, su doctrina literaria; dirá ahora: "Sin fe en el porvenir —concepto aniquilado en la vida privada— esta generación [es decir, la suya] debe gloriarse en la desesperación... Por la desesperación trabajada con entusiasmo, con cinismo y con genio decorativo podrán sobresalir todos los instintos." De cuanto se encuentra profusamente explayado en la obra que cito reproduciré, a modo de antología, unas pocas afirmaciones sobre lo que la literatura debe ser a juicio suyo: "el modo de invertirlo todo para no morir estériles y observantes"; "la usurpación, la trituración, la vendimia y el sacrilegio cometidos a mansalva. Nada conservado en los bolsillos ni en el aprecio"; "el trato con las cosas perdiendo la dignidad humana, sin alma de íncubos, sino con deseo de seducir la voluntad en greguerías fáciles y en olvidos". Tras la pirotecnia de este juego con las palabras, en el que se agota buena parte de su afán renovador, tiende a perfilarse un criterio estético que luego, estructurado y mejor aprendido, gobernará por entero su labor de escritor; ahora tal intuición le hace ya decir: "Hay que venerar y hasta morir por las cosas para salvarse de ellas con un vasto humorismo en el que estará en extensión y en voluptuosidad la más seria y rendida de las verificaciones. El que no hace grotesco y trágico su tiempo; quien no lo agrava hasta la locura y la infamia artística no vive su época y lo mismo da ya que sea anarquista o conservador pues todo le será irrespirable... Todo lo que se escribe debe descomponerse, fracturarse y posarse al fin sin extravagancia, sin dureza y con un agotamiento que estilizará y situará todo en su perspectiva según un arte decorativo comprensible y seductor".

Para alguna de estas afirmaciones, no es aún momento de precisar cuáles, Ramón se mantuvo fiel a todo lo ancho de su dilatada labor de escritor, como también lo fue a la convicción, que desde ahora expone, de que la mujer, entiéndase la mujer que el hombre como varón precisa, tiene reservado papel preponderante en toda obra literaria. Sobre esto algo se ha dicho en el anterior capítulo; a lo ya recordado creo conveniente añadir, tomándola de su memoria leída en el Ateneo, la siguiente opinión, no tan original, desde luego, como su autor creyó: la nueva literatura, de la que se considera portavoz, ha hecho "entre otras adquisiciones una importantísima: la de la mujer. Es un descubrimiento de hoy mañana"; "la mujer histológica, física, capilar, dotada de una psicología arbitraria", añade poco después precisando su pensamiento. La obra de Ramón, ocasiones habrá de comprobarlo, es, toda entera, testimonio elocuente de que nunca dejó de considerar verdad incuestionable tal suposición.

La vida del escritor, superados los primeros años inciertos, en los que comparte el quehacer vocacional con las obligaciones universitarias, desemboca en una segunda etapa, asimismo de transición, en la cual Ramón se afana por sostener la revista *Prometeo* fundada en 1908 por su padre; a este período corresponde la casi totalidad de su labor teatral y la publicación de otras obras, entre éstas *El Libro Mudo,* de marcado carácter autobiográfico. Sobre su actitud de entonces nos dice, recordándola, en *Automoribundia*: "Toda mi táctica, mi paciencia, mi escuchismo de aquellos días era esperar a decir y mientras iba escribiendo para hacer mano, para excavar como un perro, viendo la cucaracha de la noche haciendo su camino de indiferencia y de desprecio." Su vida de verdadero escritor, con editores que publican sus originales, se inicia con la aparición de *El Rastro* (1914); siguen a este libro su primera novela 'grande' y algunas de las obras más representativas de su personalidad literaria, entre ellas el primer volumen de greguerías. "De algún modo, contará Ramón bastantes años después, aquello era tarea literaria que sostenía el fuego del vivir literario, el mayor vivir"; "fue, añade, una época frenética de colaboraciones, de 'caprichos', de esbozos sobre todo lo posible y lo imposible." Como ha escrito Guillermo de Torre, "la verdadera fisonomía de este autor surge con *El Rastro,* se perfila con el hallazgo de la 'greguería', y cobra plena expansión con *Muestrario...,* con otros libros de variedades —*Senos, El Circo*— y con las primeras novelas". Abandonada su inicial rebeldía, en posesión ya de los resortes de su peculiar estilo, Ramón hace patente, según el certero juicio de Cansinos-Assens, 'una jocundidad sazonada y burguesa'.

La muerte del padre, se dijo, deshace el hogar de los Gómez de la Serna, en el que Ramón prolongaba una vida segura, sin apremios económicos. Es ahora cuando pretende hacer realidad un sueño largamente madurado: edificarse el refugio que le aísle totalmente del mundo donde representa el papel de hombre de letras; conoce ya el lector la historia de aquel empeño: la edificación del chalet 'El Ventanal' en Estoril, la estancia en Nápoles, las repetidas visitas a París, y entre estos períodos de voluntaria expatriación, y antes de su definitivo exilio, su reclusión en el 'torreón' de la calle de Velázquez primero y más tarde en un piso interior de la calle de Villanueva. Estos ámbitos donde hizo suya una casi completa soledad, constituyen, también es sabido, un caótico amontonamiento de los más dispares objetos; que le fueron precisos lo confirma la constancia con que se esforzó en recomponerlos cuantas veces las incidencias de la vida vinieron a desbaratárselos. Como el enfermo mental se abroquela en su delirio para huir de la realidad y desde la seguridad de este nuevo mundo contempla y juzga, con inéditas razones, el escenario en el que sigue discurriendo su vida, también Ramón rehuye la convivencia, se recluye en el barroco mundo de su hogar y sin abandonarlo más que lo imprescindible se complace en describir la circunstancia que abandonó ofreciéndonos de ella una original estampa. Desde 1922 los agobios económicos le mantendrán en constante incertidumbre, sometiendo a dura prueba su vocación, aquel anhelo suyo de comportarse como escritor liberado de ataduras ideológicas y también de obligaciones ajenas a las que su condición de literato le impone. La siempre insegura base material que da soporte a su diario vivir y con ello las situaciones por las que le fuerza a transitar su donjuanismo impenitente, componen el entramado sobre el que se yergue su personalidad de escritor. "Mi día siguiente, ha escrito Ramón en *Automoribundia,* no ha estado cubierto nunca hace muchos años"; acerca de los episodios que protagonizó por su condición de varón inquieto, nada creo es preciso añadir a lo que el lector conoce.

En su obligada relación con los escritores de su tiempo, españoles y europeos, Gómez de la Serna, superada la intransigencia juvenil, se mostró propicio a la amistad; supo acercarse incluso a quienes antes denostó. La rica colección de retratos literarios y grandes biografías de que es autor dan de ello sobrado testimonio. Como literato, aunque sin abandonar nunca su independencia, Ramón no deja de estar presente en las más importantes manifestaciones de la vida cultural española y también encabeza renovadoras orientaciones en la literatura europea de entreguerras. De los homenajes que le fueron ofrecidos en España recordaré ahora los dos banquetes con que en un mismo día, el 13 de marzo de 1923, fue festejado; el primero tuvo lugar en 'Lhardy' y el segundo en 'El Oro del Rhin'; la reseña que de ambos publicó la prensa diaria, también la nómina de quienes a ellos asistieron, la reproduce Ramón en *Mi autobiografía* y luego en *Automoribundia;* años antes, en los mismos comienzos de su vida de escritor, para celebrar la edición de *Morbideces,* varios literatos ofrecieron a Ramón una comida en la que se dio a conocer Eugenio Noel. Gómez de la Serna colaboró con sus obras a mantener nuevas empresas editoriales; sin buscarlo fue nombrado secretario general del Ateneo, y en colaboración con 'Azorín' funda el 'Pen Club' de Madrid, aventura que pronto abandona, como también hizo 'Azorín', pero que había de servirle de pretexto para ausentarse de España en el verano de 1936. El afianzamiento de su nombre en Europa, en Francia concretamente, acontece con sorprendente rapidez, y antes, desde luego, que en España; explica esta aparente anomalía la originalidad de su obra, la semejanza que ella guarda con la de quienes encabezaron, por los años de la primera postguerra, los más audaces movimientos literarios. Valéry Larbaud, introductor de sus obras en París, traduce, con el título *Echantillons* (1923), una selección de sus greguerías, publicándolas en *Les Cahiers Verts* que dirige Daniel Halévy. La versión francesa de *Senos* suscita una airada protesta de la escritora Natalia Clifford Barney, a la que Ramón da respuesta desde la *Revista de Occidente* (1924). Ramón Gómez de la Serna es acogido en los menos accesibles círculos literarios de la capital francesa, entre otros en el que preside la condesa de Noailles; durante los años veinte, descontada la fama más populachera de Blasco Ibáñez, será Ramón, con Ortega y Gasset y Miguel de Unamuno, el español con más alta cotización en Europa, según lo testifican, citando dos únicos ejemplos, Papini y el conde de Keyserling.

El momento de máxima nombradía internacional de Ramón puede situarse en 1928; cuatro años antes de esta fecha se editó, con prefacio de Valéry Larbaud y en traducción de Jean Cassou, su novela *La viuda blanca y negra*; del mismo año es la versión francesa de *Senos,* también realizada por Cassou; en 1925 se edita en París *El doctor inverosímil* y en 1927 *El Circo,* encabezado con una corta introducción que firman 'los Fratellini'. Por aquellos años se traducen obras de Ramón al italiano y a otros idiomas europeos. Ayuda a consolidar su fama la difusión que

7. EN SU RINCÓN DE POMBO

8. BANQUETE A "DON NADIE". *1922*

9.   UN BANQUETE EN POMBO. *Dibujo de Ramón*

10.   UN BANQUETE EN POMBO. *Dibujo de Ramón*

11. BANQUETE ROMÁNTICO EN POMBO. *1923*

12. UN BANQUETE EN POMBO. *Caricatura de Fresno*

alcanza fuera de España su novela *El incongruente*. La traducción de *El Circo*, obra por la cual había sido ya obsequiado en Madrid con una fiesta en el Gran Circo Americano, le depara un segundo homenaje en el Circo de Invierno de la capital de Francia, al que asistió Ramón acompañado de Valéry Larbaud, Cassou y los hermanos Solana; en tal ocasión Gómez de la Serna habló montado en un elefante; antes, en el circo madrileño, la noche del 21 de noviembre de 1923, lo había hecho encaramado a un trapecio. Agasajan a Ramón las minorías literarias de vanguardia y se inventa el 'cocktail Ramón'. En 1929 es nombrado miembro de la Academia Francesa del Humor, entidad en la que ingresa al tiempo que él Charlie Spencer Chaplin y a la que poco después se incorporaron Bontempelli y Pitigrilli. En París Ramón figura con James Joyce, George Kaiser, Bontempelli y Pierre Mac-Orlan en el grupo editor de la revista *900*; con Joyce forma parte de los colaboradores de la revista *Bifur*. 'Corpus Barga', relatando esta consagración europea de la fama de Ramón, escribe en *Revista de Occidente*, en 1928: "Nada más merecido que el éxito cosmopolita de Ramón. Repite una vez más el caso del escritor salvado por los extraños contra los propios. El salvador de Ramón, Valéry Larbaud, ha contado cómo él, leyendo un artículo de Salaverría, en contra de Gómez de la Serna, entró en deseos de leer a éste, a quien aún no había leído, y quedó maravillado, le 'descubrió'. Lo mismo que Salaverría, opinaban entonces de Ramón casi todos los escritores españoles."

En la soledad de sus refugios fuera de España o guarecido en sus hogares madrileños, Gómez de la Serna va cumpliendo con el imperativo vocacional sin que sobre él influyan críticas ni elogios, aceptaciones o repulsas de los frutos de tal quehacer. Nunca dejó de ser fiel a unos principios que resumió más tarde en *Automoribundia* en el texto de estas consignas: "si la literatura y el arte no son espontáneos y desinteresados, no rige en ellos lo sorprendente o lo genial"; "el arte por el arte es una fórmula introcable de la inspiración del artista"; "no situarse en tesis ni halago a ninguna clase social de esas que se turnan y se returnan en el fatalismo de la historia". Desde la situación íntima, se diría fuera del tiempo, en que Ramón ve transcurrir los años finales de su existencia, relata lo que para él significó siempre su vida de escritor; en 1946, y en el prólogo a la novela *El hombre perdido*, inestimable documento autobiográfico, escribe: ser hombre de letras, literato, es "volver del teatro de la vida y encararse con todo, dando respuestas más o menos tontas a lo irrespondible"; "el alma del escritor, añade, humorística a ratos y a ratos trágica debe ser un alma en pena, extasiada en sus divagaciones, maestra en invenciones pintorescas pero sin dejar de contar ni un momento con el Dios intrincado de la muerte —al que anuncia ese ángel al que se llama *el genio de la muerte*— y en definitiva sólo absorbido en medio de la tenaz tarea con el mismo Dios reflejado más allá de la muerte". Conviene aclarar que la afirmación religiosa implícita en el texto leído corresponde al soporte creencial que sustenta la vida de Ramón en sus años de senectud; tales convicciones estuvieron ausentes de su mundo íntimo, ocasión habrá de confirmarlo, desde la infancia.

En *Automoribundia*, tornando al tema que ahora nos ocupa, dirá Ramón: "La literatura no es más que tener talento literario y meterse en casa a escribir, sin pensar si se está haciendo por la vida o por la muerte", y sigue: "Un escritor es una fórmula viviente simpática o antipática que lanza literatura para ser consumida o para no ser consumida, para permanecer intacta e inconcebible a través del tiempo siendo el consuelo de muy pocos...; el hipercéfalo que es el escritor —monstruo fetal con la masa encefálica al descubierto— tiene que escribir y escribir metido en un rincón con sólo la esperanza de morir, estando abocado a llegar alguna vez o a no llegar nunca por años que pasen". En *Nuevas páginas de mi vida,* obra fechada en 1957, repite Gómez de la Serna: "El verdadero escritor tiene que oscilar entre artista y periodista. No debe ser intrigante ni hacer zalamerías a los cerdos poderosos o a los monstruos alevosos con tipo de hombres. Nada de cultivar a nadie por medio de la cortesanía". "El verdadero escritor, concluye, es la serenidad pura...; un caso de conciencia independiente".

Si bien Ramón deseó siempre para su vida la soledad, rehuyendo cuanto pudo la convivencia, no obstante, y desde los años de su iniciación como escritor hasta los de su voluntario exilio en Buenos Aires, le agradó forjar y mantener tertulias literarias; antes de relatar lo que de ellas conviene saber, preciso es indicar que Ramón, en las tertulias que presidió, no buscaba compartir ideas, criterios literarios o convicciones ideológicas, como tampoco crear escuela; Gómez de la Serna en sus tertulias, que cultivó con innegable esmero, pretende, y lo logra, crearse un público, a la vez selecto y dócil, ante el cual poder desplegar la apariencia casi delirante de su personalidad, el panorama ciertamente fascinador de su mundo íntimo; la condición histriónica de su carácter le forzaba a esta regular exhibición; Ruiz-Contreras, en su carta a Carmen de Burgos antes citada, atribuye este peculiar modo de comportarse de Ramón a su infantilismo psicológico, del que son responsables, puntualiza, influjos familiares, la propia 'Colombine' y también sus amigos, 'que todo se lo toleran'.

La primera tertulia fundada por Ramón celebraba sus reuniones en el despacho que el escritor se reservó en el hogar paterno de la calle de la Puebla; la integran los González-Blanco, Emiliano Ramírez-Angel, Javier Valcarce y Hernández Luquero, los hermanos Calleja, Eugenio Noel y Emilio Carrere, Dorio de

Gádex, Julio-Antonio, Viladrich y Salvador Bartolozzi; a estas amistades, que ahora consolida, recurrirá Ramón para sostener la revista *Prometeo*. Con los artistas y escritores nombrados acuden a la redacción de *Prometeo* 'Silverio Lanza' y Carmen de Burgos, Rafael Cansinos-Assens, Ricardo Baeza y Antonio de Hoyos y Vinent. Al amparo de la revista organizó Gómez de la Serna varios actos colectivos; tuvieron especial resonancia el 'Agape en honor de *Fígaro*' y el 'Banquete a la Primavera'. En el homenaje a Larra, celebrado en 'Fornos' la noche del 24 de febrero de 1909, presidía la mesa el asiento vacío reservado a 'Fígaro' y a ambos lados Ramón y Carmen de Burgos, 'fermosa mujer y garrida intelectual', en frase que se lee en la crónica del acto publicada por *Prometeo*. Entre los asistentes se contaban Ricardo Baroja y Felipe Trigo, Luis Ruiz-Contreras, Canitrot y José Francés, Ramírez-Angel, Hoyos y Vinent, Javier Bueno y Antonio Guerra, Julio-Antonio, Viladrich y Valcarce; enviaron su adhesión Benavente, Gabriel Miró y Amado Nervo. Carmen de Burgos, quien años después había de escribir una buena biografía de José de Larra, evocó aquella noche su figura y de Larra habló también Ramón para proclamar, como en 1901 habían hecho los 'noventayochistas', el patronazgo de 'Fígaro' sobre la juventud literaria de la que en tal momento se considera portavoz: "Larra está con nosotros", afirma Gómez de la Serna, y añade: "Piensa tan nihilísticamente como nosotros. Ha evolucionado. Está al corriente de nuestras quimeras y de nuestras rebeldías." Otro de los actos colectivos que patrocinó la revista *Prometeo* fue el banquete ofrecido a Andrés González-Blanco en diciembre de 1908.

Tuvo eco en el pequeño pero inquieto mundo literario de la Corte el 'Banquete a la Primavera' proyectado para el 13 de abril de 1912 pero que razones climáticas obligaron a aplazar en unas fechas. La convocatoria al homenaje, no cabe dudar que redactada por Ramón, se inicia con estas palabras: "Para festejar la Primavera, dejándonos ganar por sus supersticiones, sus accesos, sus atroces violencias y sus rebosos, nos reuniremos el día 13 de abril en la Huerta, al medio día, después del baño, congraciados con Dios por el sentimiento profundo, saturado y optimista de la ablución"; más adelante se lee: "Será una tarde de fiesta mayor, presenciada por los desnudos de Flora y Adonis... Este es el único acto revolucionario y político que se precisa después de las cuotidianas conspiraciones del arte". Quienes iniciaron la publicación de *Prometeo* en 1908 animados del trascendental propósito de renovar la sociedad española concluyen cuatro años más tarde, inminente ya la muerte de la revista, vencidos por su condición de literatos y artistas, organizando una alegre francachela, a seis pesetas cubierto, bajo pretexto de conmemorar el nacimiento de una nueva primavera. La proclama que cito iba firmada por 'La Manón', conocida artista de variedades, Ramón y Salvador Bartolozzi, Julio-Antonio, Viladrich y Bagaría, Tomás Borrás, Ceferino R. Avecilla, Andrés González-Blanco y Gómez-Hidalgo. El programa de la fiesta fue comentado en la prensa diaria; Cansinos-Assens, no obstante haber hecho número antes en la tertulia de Ramón, lo criticó ásperamente desde las columnas de *La Correspondencia*; *El País* difundió la proclama y el acto lo elogiaron, entre otros periódicos, *La Tribuna* y *El Liberal*. Al banquete, presidido por las canzonetistas Amalia Molina, 'La Safo' y 'la bella Hebrea', asistieron, con los organizadores, buen número de artistas y escritores jóvenes, algunos, como puntualizó la crónica publicada en *Prometeo,* en compañía 'de sus amadas'.

Cumpliendo con su propósito de forjar conciencia de grupo en quienes con él compartían el deber de redactar cada número de *Prometeo,* Ramón idea unas reuniones periódicas que titulará 'Diálogos triviales'; se celebraron en diversos lugares de Madrid

y de ellas se da pormenorizada reseña, conservando la forma colo-
quial, en la revista; queda constancia de cinco diálogos, celebrados
entre 1910 y 1912. El primero tuvo lugar en el Café de Sevilla,
en abril de 1910, participando Carmen de Burgos y Luis Ruiz-
Contreras, Andrés González-Blanco, Javier Valcarce y Ramírez-
Angel, Miguel Romera Navarro, Francisco Vera, José Más y
Ramón Gómez de la Serna; se puso a discusión el tema de la felicidad. El segundo diálogo, consagrado a debatir el tema del
amor, reúne a Carmen de Burgos, Hoyos y Vinent, Edmundo
González-Blanco, 'Silverio Lanza' y Ramón; las opiniones que
se formularon, es comprensible, encaran el problema motivo de
la reunión desde criterios muy dispares, pues mientras González-
Blanco da del amor una definición biológica y Antonio de Hoyos
una versión crudamente carnal, 'Colombine' confiesa su "ilusión
de sentir el amor", afirmación ésta que debió resultar particularmente grata a Ramón, y 'Silverio Lanza' teoriza sobre su convicción de que "la equivocación humana es creer que hay algo
más interesante que el amor". Tanto debió interesar a todos el
tema que a él retornan en el siguiente diálogo, celebrado el 6 de
julio de 1910, también, como los precedentes, en el Café de Sevilla; concurren al coloquio Edmundo y Andrés González-Blanco, Francisco Vera, Emiliano Ramírez-Angel, Emilio Corral y
desde luego Ramón. Los dos últimos 'diálogos triviales' que tuvieron lugar, el primero de ambos en 1911 y el segundo al siguiente año, se diferencian de los anteriores porque a ellos acude,
con categoría de invitada de honor, alguna popular canzonetista
a la que ofrecen los contertulios la cosecha de su ingenio. El diálogo de 1911 se celebra en el Hotel Cervantes y en torno a 'La
Safo' se reúnen Manuel Abril, Rafael Cansinos-Assens y Diego
López Moya, Fernando Aponte y Ramón; en el segundo diá-

logo, que tiene lugar en la redacción de *La Tribuna* *, bajo la presidencia, diríase, de 'La Manón', entablan conversación Tomás Borrás, Leopoldo Bejarano y Ramón Gómez de la Serna, Avecilla, Cardona, Armenta y Echea, Bagaría y Zabala.

Desde la fecha de su fundación, Ramón se contó entre los asiduos concurrentes de la tertulia que gobernaba José Ortega y Gasset en la redacción de su *Revista de Occidente*; eran en ella asistentes habituales Fernando Vela, el físico Blas Cabrera y el doctor Sacristán, Xavier Zubiri, García Morente y Zaragüeta, Antonio Espina y García Lorca, entre otros cuya mención omito; en sus visitas a Madrid acude a la tertulia Miguel de Unamuno y en ella estuvieron presentes ilustres viajeros como el príncipe Bonaparte y Cunningham Graham; allí oyó Ramón comentar la obra literaria de Kafka, de Huxley y Lawrence, la psicología de Jung y las doctrinas filosóficas de Spengler, Simmel y Keyserling con otros muy diversos problemas de estética y literatura, culturales y científicos. Estando en París, en 1929, la necesidad, que debió resultarle insoslayable, de romper el círculo de su soledad, induce a Ramón a fundar una tertulia, remedo de los sábados pombianos, en el Café 'La Consigne', de Montparnasse.

La más famosa tertulia fundada por Ramón, inmortalizada en un cuadro de José Gutiérrez Solana, fue la de Pombo; el café en que tuvo su hogar, el retrato de muchos de los que a ella concurrieron y la pequeña historia de sus reuniones dio tema a Gómez de la Serna para dos nutridas obras, publicadas en 1918 y 1923,

---

* Este diario, dirigido por Cánovas Cervantes, y en el que figuró como subdirector Enrique de Mesa, fue el primer periódico madrileño en el que colaboró con asiduidad Ramón, por intercesión de Tomás Borrás. *La Tribuna* inauguró su redacción el 3 de febrero de 1912 con una actuación de 'La Fornarina'.

documentos hoy de excepcional importancia para rehacer, con su concurso, uno de los principales y más animados capítulos de la vida literaria española en los años de entreguerras. "Pombo, escribe Ramón, nunca ha tenido normas ni programas, siendo fiel al lema español de la individualidad... Pombo era un rincón de Café sin teoría, pero con fe, con persistencia, sitio para el cambio de impresiones sobre los hallazgos de cada uno, evitando ser los maniáticos de un estilo." A despecho del lenguaje plural que utiliza Ramón hablando de las reuniones pombianas, lo cierto es que la tertulia fue siempre para él escenario donde cada sábado se ofrecía como espectáculo. "Era la noche de mis excesos, recuerda Ramón en *Automoribundia*. Yo, que no bebía ni una copa en las comidas, me tomaba una botella de añejo de Valdepeñas, y como había tenido contenida la palabra durante seis días, esa noche gritaba como un monstruo". Cuantos acudían a Pombo representaban el papel, no muy lucido, de meros espectadores y allí sólo alcanzaban categoría de personajes con voz cuando Ramón, maestro en el difícil arte de manejar voluntades, prefería encarnar el papel de Maese Pedro forzando a teorizar, disparatar e incluso a comportarse grotescamente a cualquier asistente al aquelarre sabático; Gómez de la Serna, debo recordar de nuevo el certero diagnóstico de Ruiz-Contreras, como toda personalidad infantil, mostraba evidente inclinación a la crueldad.

Varios testigos han hecho relato de las reuniones en la 'sagrada cripta' de Pombo. Cuenta Fernando Vela: "En Pombo daba Ramón el espectáculo de la mayor voracidad. Lo estrujaba y trituraba, lo digería todo con el mismo apetito, igual las cosas que las personas, sin saciarse nunca, sin hacer escrúpulos de nada. Se salía de allí hecho pulpa"; todo era obra de Ramón, añade nuestro informante: "El creó los mitos, los símbolos, las enseñas, los ritos, las ceremonias, los días festivos, las solemnidades mayores". Otro ilustre visitante de la tertulia, el escritor José Pla, expone así sus recuerdos: "Cada sábado, después de cenar, Ramón Gómez de la Serna va a Pombo, y esto lleva al café una multitud de artistas, literatos, escritores jóvenes. La tertulia es abierta y generosa. Una vez os dáis a conocer, Ramón saca un libro de oro y os hace firmar. Luego, de debajo de un banco, hace salir un paquete de libros envueltos en un gran pañuelo de hierbas. Ramón coge unos cuantos, los firma con una caligrafía terrible y tinta encarnada y os los regala"; cuando los ojos del recién llegado son capaces de ejercer su cometido en el cerrado ámbito lleno de humo de tabaco, continúa Pla, se descubre un singular panorama: "caras famélicas, caras largas, caras pálidas, quijadas temblorosas, ojos febricitantes, higiene equívoca, trajes que parecen dejados. Ramón es, en definitiva, la única persona del local que parece haber cenado".

La fundación de la tertulia, según testimonio de Miguel Pérez Ferrero, data de 1915; el grupo iniciador, varios de los cuales fueron retratados por Gutiérrez Solana en torno a Ramón, lo integraron Salvador Bartolozzi, Rafael y José Bergamín, Tomás Borrás, Rafael Calleja, Bagaría, Manuel Abril, Bacarisse, Emiliano Ramírez-Angel, Cansinos-Assens, Rafael Romero Calvet, Cabrero, Gustavo Maeztu y el propio José Gutiérrez Solana. Como queda comprobado, son, en su mayoría, los mismos que integraron la redacción de *Prometeo*. A los nombrados se unió, durante su estancia en España, el pintor mejicano Diego María Rivera, que entonces hizo a Ramón el famoso retrato cubista luego reproducido en la portada de *Ismos*.

El número de quienes en años sucesivos se incorporaron a la tertulia de Pombo o concurrieron a alguna de sus reuniones llegó a ser muy elevado; una relación de sus componentes, en ocasiones enriquecida con semblanzas biográficas, figura en *La Sagrada*

Cripta de Pombo, de Ramón, y también en el artículo de Fernando Baeza publicado en la revista *Indice* donde se habla del álbum de asistentes, hoy conservado por Francisco Vighi; firmaron en este álbum cuantos artistas y escritores significaron algo en la vida cultural española antes de 1936, siendo también nutrida la representación extranjera; estuvieron en Pombo Alfonso Reyes, Pablo Neruda y Rómulo Gallegos, Pedro Henríquez Ureña y Arturo Capdevila, Tristán Tzara, Pierre Mac-Orlan, Jean Cassou, Benjamin Cremieux y Karl Vossler; en la lista de los españoles que concurrieron a la tertulia de Gómez de la Serna se encuentran los nombres de Ortega y Gasset, 'Andrenio', Valle-Inclán, 'Azorín' y Ramiro de Maeztu, Alejandro Gaos y Angel Valbuena Prat, Benjamín Jarnés, Guillén Salaya, Federico de Onís y José María Sagarra, Hoyos y Vinent, José Francés, Mauricio Bacarisse y Jacinto Miquelarena, Antonio Espina y Guillermo de Torre, Esteban Salazar Chapela, Edgar Neville, Marquerie y Juan Antonio de Zunzunegui; asistieron asimismo a los sábados pombianos Bagaría, Julio-Antonio, Sancha y Victorio Macho, Esplandíu y Marc Chagall, el músico Andrés Segovia, Luis Buñuel y la artista 'Tórtola Valencia'. Sobre la real importancia que alcanzó la tertulia de Pombo es elocuente el texto, que ahora transcribo, de José María Salaverría: "Todo el mundo ha tenido que pasar por allí, y yo desafío a cuantos tienen algo que ver con las letras a que me señalen un solo rebelde. Lo mismo ha de decirse de los intelectuales hispanoamericanos: todos han pagado tributo a Pombo. Como también los intelectuales de diferentes naciones europeas que han pasado por Madrid. La seducción del nombre de Pombo, obrando en las imaginaciones juveniles de provincianos y americanos, ha ejercido fuerza reclutadora".

El escenario elegido por Ramón Gómez de la Serna para sede de su tertulia era un viejo y ya en aquella época anacrónico café, la antigua 'Botillería de Pombo', situado en la calle de Carretas, no lejos de la Puerta del Sol; el café, así lo describe Salaverría, "es chiquito, y además de chiquito, pesado. Tiene la cargazón de las cosas fundamentalmente graves, y viéndolo se está seguro de que nunca ha sido ligero, joven, grácil. Los muros son anchos, aptos para soportar un edificio ingente; las bovedillas, remate y solución de estos muros excesivos, dan al local un vago aspecto de sótano, o tal de una cripta de catedral". Se decidió por él Ramón, la confidencia es suya, "por jugar a los anacronismos y porque en ningún sitio iban a resonar mejor nuestras modernidades que en aquel viejo sótano", y continúa: "Fundo la Sagrada Cripta de Pombo, como lugar recóndito en que reunirme con los escritores nacientes, en que repartir mi fe en el futuro, refugio en que estar reunidos durante el bombardeo de aquellos primeros tiempos de incomprensión para el nuevo modernismo". Se congregan en Pombo los sábados, al caer la noche, y la convivencia se prolonga hasta las primeras horas de la madrugada; luego Ramón, con la compañía de algunos íntimos, pone epílogo a la jornada dando unas vueltas en la Puerta del Sol. Gómez de la Serna, preciso es repetirlo, no realizó en la tertulia campañas proselitistas; no iba a su carácter convertirse en fundador de escuela; espléndido ejemplar de la tradicional insolidaridad ibérica, Ramón busca en Pombo satisfacer sus impulsos exhibicionistas y a un tiempo ampliar y consolidar su renombre literario.

La historia de la tertulia, dije antes, con el retrato de bastantes de sus asistentes y la anécdota de algunas de sus reuniones, está puntualmente rehecha en *La Sagrada Cripta de Pombo*; en esta obra reproduce Ramón los 'mandamientos' que él mismo redactó para ser cumplidos por cuantos integran la tertulia; en Pombo revivió Gómez de la Serna los 'diálogos triviales' y organizó banquetes y homenajes; en la tertulia de Ramón fueron agasajados Picasso y Ortega y Gasset, Luis Bello, Grandmontagne y Valéry Larbaud, Enrique Díez Canedo, Tomás Borrás y Zamacois, Ernesto Giménez Caballero, Baltasar de Alcázar y 'Azorín'. Se ofrecieron banquetes a 'Don Nadie', acto en el que fue leída una carta de Unamuno, al dios de cada tertuliano y a todos los pombianos 'por orden alfabético'; hubo un banquete farmacoterápico y otro, éste celebrado el 13 de febrero de 1923, al cual los comensales comparecieron caracterizados de coetáneos de Larra. La tertulia de Pombo, que se sostuvo, con alternativas de auge y decadencia, hasta 1936, feneció con la guerra civil; el intento de rehacerla, concluida la contienda, no tuvo éxito; los tiempos eran otros y faltaba también la presencia de Ramón para obrar el milagro; todo terminó al donar Gómez de la Serna al Museo de Arte Moderno el retrato colectivo hecho a los fundadores de la tertulia por José Gutiérrez Solana.

El quehacer como escritor de Ramón, nunca abandonado, tuvo cotidiana manifestación en una mantenida y muy copiosa labor periodística, también con sus colaboraciones en diversas publicaciones periódicas, nacionales y extranjeras, y asimismo en conferencias y emisiones de radio, instrumento éste de difusión literaria que será Ramón, en España, uno de los primeros en usar. Buena parte de su producción libresca, contándose en ella algunas de sus obras más representativas, la compuso Gómez de la Serna reuniendo trabajos dados a conocer con anterioridad en periódicos y revistas. "Mi ideal, escribió Ramón en 1923, son dos artículos diarios en dos periódicos vitales, uno por la mañana y otro por la noche. En dos grandes diarios he realizado ese ideal algún tiempo". Gómez de la Serna inició su quehacer de escritor redactando, cuando aún era un niño, un periódico, *El Postal* lo tituló, que difunde entre sus condiscípulos en el Colegio de los Padres Escolapios; pocos años después conseguirá colaborar en algunos periódicos de provincias; su aprendizaje literario lo completó gobernando la revista *Prometeo* desde 1908 a 1912. Por intercesión de Tomás Borrás, Ramón pudo escribir para *La Tribuna,* diario en cuya redacción figuraban ya varios amigos suyos, entre ellos Enrique de Mesa y los dibujantes Bagaría y Bartolozzi; publica en este periódico madrileño cada día, y de modo gratuito, artículos, relatos breves y 'greguerías'; estas colaboraciones consiguen suscitar la airada protesta de bastantes lectores del periódico provocando con ello su temporal alejamiento del mismo.

El hijo de don Miguel Moya ofreció a Ramón la oportunidad de incorporarse a la redacción de *El Liberal*; la aceptación de este puesto, ya remunerado, no le impide continuar colaborando en *La Tribuna*; como periodista, Gómez de la Serna dio pruebas de elogiable fidelidad, y así, cuando Tomás Borrás le gestiona un contrato de mil quinientas pesetas mensuales por redactar una crónica diaria en *La Voz,* Ramón rechaza la tentadora oferta por no abandonar el periódico de los Moya en el que por idéntico cometido sólo percibe, cada mes, doscientas pesetas. La desaparición de *El Liberal* lleva a Ramón a ingresar en el cuerpo de colaboradores de *El Sol,* entonces gobernado por Nicolás María Urgoiti; en este período su quehacer periodístico comprende un artículo diario en *El Sol* y una crónica semanal en *La Voz*; lo que por todo percibe constituye el casi único soporte económico de su vida. En ambos periódicos rotula sus trabajos con los títulos 'La Vida' y 'Variaciones', ya utilizados por él cuando escribía para *El Liberal*. Como colaborador de *El Sol* asiste regularmente a las reuniones literarias que se celebran en una dependencia de la redacción decorada por Bagaría y a las que también solía concurrir Ortega y Gasset.

La orientación política a la que empezará a servir *El Sol* tras cambiar de dueño y dejar su puesto rector Urgoiti, aleja de este periódico a Ramón, quien ahora pasa a colaborar en el semanario *Crisol* y luego en su continuador, el diario *Luz*; al desaparecer éste, prosigue su quehacer de periodista en *Diario de Madrid;* en 1935 solicita su colaboración el periódico *Ahora.* Concluida la guerra civil, reaparece la firma de Ramón en diversas publicaciones españolas, siendo de destacar sus artículos en el diario madrileño *Arriba,* y más tarde su colaboración en los números dominicales de *ABC;* las colecciones de 'greguerías' que publica en este diario aparecieron durante algún tiempo enmarcadas por originales dibujos de Goñi. Como tantos otros escritores españoles, Gómez de la Serna buscó la generosa ayuda económica de la prensa hispanoamericana; en 1928 inicia su colaboración en el diario bonaerense *La Nación;* su afincamiento en la capital argentina desde el verano de 1936 hizo definitiva, era natural, esta incorporación suya al mundo periodístico americano. Pretendiendo enjuiciar aquel diario quehacer escribió Ramón en su primera autobiografía: "Mi periodismo es una cosa hija de mi convicción de que la literatura es una profunda hermana de la actualidad, aunque también puede serlo de la inmortalidad"; "mi periodismo, añade, busca el matiz del día fuera de los tópicos...; destaca lo que se ha dejado pasar". Buen ejemplo de cómo Ramón entendía tal cometido nos lo ofrece su curiosa 'Historia de medio año', publicada en *Cruz y Raya,* y en la que reseña los más importantes sucesos en la vida internacional durante el primer semestre de 1935. En *Automoribundia* confiesa que los 'muchos millares de artículos' por él publicados sobre haber constituido su salvación económica le ayudaron a crear y dar forma a su estilo. El periodismo radiofónico, lo indiqué ya, fue ejercido por Ramón en España cuando era éste un medio de difusión cultural en el que casi nadie creía; actuó en Unión Radio desde 1930.

Rehuyendo mencionar, pues será objeto de pormenorizado comentario en un capítulo ulterior, la labor desarrollada por Gómez de la Serna en *Prometeo,* sí debo indicar ahora que la firma de Ramón estuvo presente, con regular asiduidad, en las más prestigiosas revistas españolas así como en importantes publicaciones periódicas europeas y americanas. En España Ramón colaboró en las revistas editadas por el grupo 'ultraísta'; en *La Pluma,* dirigida por Manuel Azaña, publica, durante los años 1921 a 1923, varios trabajos y fragmentos de algunos de sus libros; posteriormente fue Ramón asiduo colaborador de *Revista de Occidente*; en ella se editaron estudios suyos sobre Goya, 'Azorín' y Cocteau, una réplica a Natalia Clifford Barney, varios artículos, y entre éstos los titulados 'Las cosas y el ello', 'Las palabras y lo indecible' y 'La acinesia y el corazón', su ensayo sobre Picasso y el cubismo y los rotulados 'Botellismo' y 'Gravedad e importancia del humorismo'; también en *Revista de Occidente* publicó la comedia *Los Medios Seres* (1929) y buen número de narraciones. *Cruz y Raya,* otra gran revista de los años que anteceden a la contienda civil, editó su 'Ensayo sobre lo cursi', una colección de 'greguerías', el trabajo 'Siluetas y sombras' y el drama *Escaleras,* última producción teatral de Ramón, espléndidamente ilustrado por José Caballero. Durante los últimos años Gómez de la Serna ha colaborado en diversas publicaciones hispanoamericanas y con alguna asiduidad en la revista *Temas* de New York. Las colecciones de novelas breves, muy populares en España desde principios de siglo, guardan, en sus páginas, buena parte de la obra narrativa de Gómez de la Serna; particularmente nutrida fue su contribución a *La Novela Corta*; en una serie anterior apareció su relato 'El ruso' (1913) y en 1914, en la

Novela de Bolsillo, la primera versión de *El doctor inverosímil,* ilustrada por Bartolozzi.

Tuvieron especial resonancia sus apariciones públicas como conferenciante, quehacer al que Ramón confirió aire nuevo, chocante apariencia; en tales ocasiones Gómez de la Serna se ofrecía a sí mismo como espectáculo a los más heterogéneos públicos al igual que lo venía haciendo, la noche de cada sábado, en la cripta pombiana. Acierta Guillermo de Torre al afirmar que Ramón concibe y practica la conferencia, 'ejercicio habitualmente mundano o profesoral', cual "un momento de locura delirante, en el que la palabra debe decir algo nuevo...; lo adorna, exalta y prolonga histriónicamente desdoblándose en múltiples personajes". Para sus conferencias Ramón acude a los más heterogéneos e inesperados recursos; utilizó trucos de ilusionista y gruesas bromas de clown de circo; esto explica que dos de sus más recordadas intervenciones públicas, de las que se ha hecho ya mención, tuvieran lugar dentro de un marco circense. Ramón ha disertado acerca del toreo vistiendo traje de luces y sobre Napoleón imitando su más conocida postura; de acusada originalidad en su factura fueron la conferencia sobre el humorismo dada en Bilbao en 1915 y la que hablando de los faroles pronunció en Gijón ocho años después; en la Alhambra granadina, invitado por Zuloaga y Manuel de Falla, Ramón disertó sobre el 'cante jondo' manteniendo arropadas sus piernas con un mantón de Manila. El anecdotario de esta actividad suya de conferenciante, iniciada en España y que luego prosiguió en Hispanoamérica, podría prolongarse si recogiera aquí cuantos recuerdos relata el propio Ramón y repiten varios de sus biógrafos. Hablando de sus conferencias dirá Gómez de la Serna que en ellas buscó siempre incluir algo desusado 'pero usual para la sinceridad', y a esta confidencia hecha en 1923 pueden añadirse las realizadas, bastantes años

13.   LA TERTULIA DE POMBO. *Cuadro de Solana*

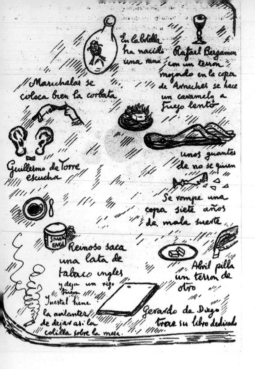

14-15. LA TERTULIA DE POMBO.

Escenas "grafitadas"
por Ramón

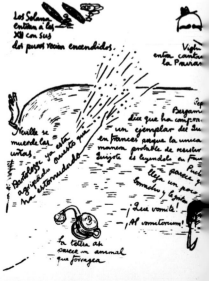

después, en *Automoribundia*: "La conferencia debe ser la confesión extrema. Desahogo perfecto de la locura interior y en la que los demás contemplen su propia locura...; la conferencia es un permiso de conversación de uno solo sin que le interrumpan los demás". En sus charlas Ramón fue siempre fiel a estos principios.

La ininterrumpida actividad literaria de Ramón Gómez de la Serna, cumplida desde los años de su adolescencia hasta la hora extrema de su senectud, y de la que es diario testigo su quehacer periodístico, cristalizó en una nutrida bibliografía compuesta por un número de títulos que se acerca al centenar; por su tema, estos libros son, unos, volúmenes de relatos breves y novelas 'grandes', según el calificativo que les concede Ramón; otros, piezas teatrales, biografías, textos de crítica literaria y estética, y en buena proporción colecciones de 'greguerías' y obras de muy personal estilo a las que creo apropiado conferir el título colectivo de 'ramonismo'. Su examen, particularizado, dará motivo a los capítulos integrantes de la Segunda Parte del presente estudio. De la obra de Gómez de la Serna se han publicado dos antologías; la primera, al cuidado de Guillermo de Torre y con el rótulo *Antología. Cincuenta años de literatura,* fue impresa en Buenos Aires en 1955, como homenaje de los editores argentinos al escritor, al cumplir éste, en 1954, las bodas de oro con su vocación literaria. La segunda antología, *Mis mejores páginas literarias,* se ha publicado en Madrid en 1957. Diez años antes de esta última fecha ya había sido editada, también en Madrid, una selección de sus obras. La edición definitiva de sus libros, con exclusión de algunas producciones primerizas repudiadas ahora por el autor, ha sido iniciada por una editorial barcelonesa; la empresa se halla actualmente en curso de realización. Los estudios biográficos de Ramón están recogidos en dos volúmenes: *Biogra-*

fías Completas (1959) y *Retratos Completos* (1961); también de
sus 'greguerías' (*Total de greguerías*), poseemos una edición definitiva (Madrid, 1955). El examen de esta nutrida producción libresca, tema, repito, de la Segunda Parte de este retrato de Gómez de la Serna, exige, para su adecuado entendimiento, hacerlo
preceder de un análisis de núcleo ideológico y creencial en que
tomó apoyo la existencia histórica de Ramón, y asimismo de la valoración propiamente literaria de sus escritos; ambas cuestiones
serán tratadas en los capítulos que siguen al que aquí concluye.

CAPITULO III

EL IDEARIO

Preciso es conocer, y antes, queda indicado, que el contenido de la obra literaria de Ramón Gómez de la Serna, el soporte ideológico y creencial que la sustenta, un ideario que gobernó asimismo la personal existencia de su creador. Diversas razones ayudan a explicar el que Ramón no hiciese formulación explícita de sus convicciones más que en las etapas extremas de la adolescencia y de su senectud; en ambas ocasiones, y por motivos distintos, resulta habitual que el hombre fije atención en el discurrir de su vida íntima; en la adolescencia, por serle preciso entonces afirmar su propia individualidad ante el mundo del que va a pasar a ser miembro activo, y en la senectud, por ser esta hora de la vida favorable a la introversión.

Superada la crisis puberal, y antes de arribar a su ancianidad, Ramón, arquetípico representante del 'literato de entreguerras', hizo suya, viviéndola, una actitud vital entonces con muchos e ilustres valedores; era aquélla la de quienes voluntariamente desinteresados por los problemas políticos y sociales aspiraron a vivir encerrados en personales y herméticas 'torres de marfil'. La apacibilidad, cuando menos aparente, con que, entre los dos grandes conflictos bélicos del siglo, discurrió la vida colectiva europea, favoreció la difusión de tal ideario y permitió asimismo el que llegara a ser para algunos efectiva realidad en sus existencias privadas. En los años de madurez, mientras da vida al más copioso capítulo de su obra literaria, Ramón vive totalmente desligado de cuanto a su alrededor acaece; de los sucesos, y algunos de indudable trascendencia, a los que entonces hubo de asistir como forzado espectador, ninguna referencia queda en sus escritos. Su existencia de literato, lo reiteraré, la protegió Gómez de la Serna cercándola con insalvable foso; los principios doctrinales que explican tal actitud los expuso en su ensayo 'La Torre de Marfil'. Ramón dispuso siempre, reconstruyéndola cuantas veces la vida se la deshizo, de su propia 'torre de marfil', pues tal calificativo merecen sus barrocos hogares madrileños y como ellos los refugios por él habitados en Estoril y Nápoles, en París y Buenos Aires. Escribe Ramón: "En modesta Torre de Marfil he vivido siempre y he vuelto a rehacerla muchas veces porque donde esté la reliquia —un cerillero que perteneciese a la primera torre o cualquier otra cosa fácil de salvar de la ruina— reaparecerá siempre la Torre de Marfil". Conquistar para la propia existencia tan seguro escondite exige sólo voluntad firme en el deseo y capacidad de sacrificio para conservarlo una vez logrado o reconstruido.

En posesión plena de su soledad, a cubierto de cualquier posible supeditación, el escritor acomete y realiza su misión social "sin contagiarse, ahora es el propio Ramón quien habla, con las doctrinas que desvirtúan al hombre enrolándolo en la gritería del bajo carnaval"; añade: "lo gregario mata, atrofia el sentido supervital, la sensibilidad de vivir, la felicidad de las glándulas felices, la única riqueza auténtica que es la del perfil propio, lo único que merece pasar por la miseria con tal de conservarlo". Este ideal de vida, que hoy resultará para muchos recusable, hasta inconcebible, tuvo aún no hace muchos años buen número de valedores y entre ellos, en España, a Gómez de la Serna. "El torreófilo, afirma Ramón, sabe que no puede ofrecer un mundo mejor —mentira huera—, sino imágenes mejores, novelerías más entrete-

nidas y profundas, soledades en el mundo de siempre"; el 'torreófilo', cabe añadir, es hombre que hace suyo, lo pretende al
menos, el más radical individualismo, ignorando que vivir es siempre coexistir en un mundo cercado por herméticas fronteras históricas, ser parte de una sociedad gobernada por imperativos que
escapan al control de la voluntad humana. Conoce el lector el
proyecto vital que Gómez de la Serna buscó hacer realidad en su
personal existencia; interesa ahora completar tal noticia refiriendo
lo que sobre esta norma de vida relata alguien que le conoció bien.
"Ramón, nos habla Tomás Borrás, desde sus comienzos, delibe-
rada y tristemente, eliminó de su obra temas considerados como
los profundos, los decisivos, trascendentales... Las cuestiones que
se relacionan con la Etica o el Derecho, la Sociología, la Lucha
que pasa del orbe de las ideas al duelo inevitable de la sangre, la
Explicación de la vida y del viviente, las deja fuera; Ramón sólo
quiere tratar un modo del Dónde Estamos, cercenándole de ca-
tegorías, dejándole tan sólo en categoría literaria, poética, abstrac-
ta y sin los añadidos de cada época. Se aparta del escándalo y de la
angustia de los hombres". Por todas estas razones, el comentarista citado opina que Ramón carece de 'circunstancia', "la época
no es para él. El pertenece a un espacio sin época".

Para ser fieles a la realidad de los motivos, preciso es advertir
que la actitud adoptada por Ramón sólo revela en qué medida fue
hijo de su tiempo, cómo se vio influido por él, pues queda dicho
que únicamente una época como la vivida por la sociedad europea
en el decenio que sigue a la primera Guerra Mundial pudo hacer
posible y hasta imponer aquel ideal de vida. La evolución de la
existencia comunitaria en Europa, y también en España, durante
los años treinta hizo cada vez más dificultoso al escritor 'no comprometido' mantener su actitud de desinterés frente a los problemas sociales, en otras palabras, la supervivencia de las 'torres de

marfil'. De esto tuvo conciencia clara Ramón; en *Automoribundia*
reproduce un curioso artículo por él publicado en un 'Almanaque
literario' de 1934, donde se queja de la situación de desamparo
en que a juicio suyo lo mantiene el régimen político entonces vigente en España; él, escribe allí, con más de treinta años de
escritor en su haber, "quedaba como el hambriento número uno
de la República...; sembrando todos los campos, ahora es cuando recojo menos fruto, cuando más faltan todas las semillas, cuando más se retrasan todas las cosas y cuando más angustiosos de-
siertos he encontrado"; y añade: "La República y sus intelectua-
loides olvidó este mundo que conservaba el ideal, lo olvidó más
que nadie, y premió a los intelectuales reborondos, perezosos en
butacas inglesas, premiosos de estilo y de investidura, lejanos a
la nidada de esos pasajeros de la calle que son los que podían
hacer nacer otro romanticismo literario". El reproche amargo de
Ramón no es justo; su apartamiento, que no voy a negar fuese
efectivo, venía impuesto por motivos más hondos que los nacidos
de la coyuntura política del momento; su razón última se encuentra en que ya entonces la misma sociedad, y más todavía sus
minorías rectoras, cualquiera que fuese su orientación política,
empezaban a adoptar actitud recelosa ante quienes pretendían
seguir ignorando los problemas doctrinales que centraban el vivir
comunitario. Ramón, ello es cierto, continuó siendo consecuente
'torreófilo': "Nuestra revolución artística y literaria, afirma ahora, es tan incomprensible para los revolucionarios sociales, que
bien podemos nosotros negarnos a comprender sus premisas simples y deleznables".

La situación de radical inseguridad en que se vieron arrojados
quienes, como Ramón, persistieron en prolongar la vigencia de
un ideal de vida que era ya inactual ha sido agudamente analiza-
da por Antonio Tovar en su ensayo sobre *Gómez de la Serna*;

LA TERTULIA DE POMBO.

Escenas "grafitadas"
por Ramón

18. PRIMERAS FIRMAS DEL ALBUM DE POMBO

19-20. PÁGINAS DE FIRMAS

DEL ALBUM DE POMBO

21.   BANQUETE A RAMÓN EN LHARDY. *1923*

"en la literatura de la entreguerra primera, escribe el autor que cito, parece que Ramón llegó a la cúspide. Su humorismo es nuevo, relacionable en apariencia con tantos *ismos* por lo menos, y aún más, que los que él ha estudiado. Pero justamente entonces, en aquellos tiempos, en la crisis de hacia 1930, Ramón siente el suelo inseguro bajo los pies, y las preocupaciones económicas, políticas y de todo orden vienen a gravitar sobre su labor de creación puramente literaria y ajena a toda la prosa humana del vivir, a todos los codazos por abrirse camino, a toda adulación y profesionalismo de ideas. Una persona menos firme y con menos valor personal, hubiera claudicado, se hubiera entregado y vendido". También acierta Tovar al reconocer cómo es ahora cuando la personalidad de escritor de Ramón empieza a adquirir grandeza, gana hondura y humanidad, cualidades, ambas, que hasta entonces, en opinión mía, apenas poseyó.

Ramón, guarecido en su 'torre de marfil', gustó siempre asistir, con invariable serenidad, al espectáculo que le depara el diario vivir del mundo social al que pertenece; sus juicios de desinteresado espectador se encuentran formulados en diversos lugares de sus obras; "la vida es una cosa grotesca", afirma en cierta ocasión y añade cómo la salvación de la humanidad sólo podrá ser esperanza alcanzable cuando los hombres adquieran conciencia de ello; imagina Ramón el mundo de los humanos cual una gigantesca pista de circo donde se mantiene el inconcebible equívoco de que quienes en ella recitan algún papel, la humanidad en suma, actúan ignorándolo, siendo tal contrasentido lo que hace grotesca la representación. Unicamente en los circos reales, añade Ramón, la vida se ofrecería con su verdadera faz; para él es el circo la creación humana que mejor remeda la existencia paradisíaca. Buscando rehacer el núcleo ideológico ramoniano, escribe Pedro Salinas: "El hombre, en realidad, se ha dado demasiada importancia; tiene la manía (todo esto piensa Ramón) de querer conservarse y hacer cosas supremas; pero, en realidad, vive al margen de la creación. Al encontrarse Gómez de la Serna con esta verdad de su espíritu, la no importancia del hombre, su situación marginal en el Universo, la actitud que toma es una actitud de desesperación alegre, de lento y jocundo suicidio. Hay que divertirse. La palabra diversión cobra en Gómez de la Serna su sentido puro; hay en realidad que desviar el espíritu y su atención de la terrible realidad aniquiladora". En su entraña la actitud que queriéndolo hizo suya Ramón, y a la que se mantuvo fiel buena parte de su vida, se nutre de un radical nihilismo. Sólo en contadas ocasiones Gómez de la Serna ha dejado traslucir su íntimo sentir; esto ocurre, por ejemplo, en varios pasajes de su novela *El caballero del hongo gris,* publicada en 1928; el protagonista del relato, en tales momentos mero portavoz de las opiniones de su creador, explaya lo que podría titularse filosofía del vivir humano en una corta serie de afirmaciones cuya transcripción es obligada: "Las piedades por la vida son los más estúpidos sentimentalismos que pueden darse"; "Dios no protege nada, sino la pluralidad de los mundos... Este es el bonito mecanismo que le divierte. Del hombre, ni se ocupa"; "lo que hay que hacer es no pensar en las muchedumbres sino como se piensa en un obstáculo... Tocar mucho la bocina y esperar con gesto airado a que se aparten". La letra y el espíritu de estos textos, tan diáfanos son, hacen innecesario el comentario.

No siempre mantuvo Ramón la actitud, esbozada en lo que antecede, de habitante en una inaccesible 'torre de marfil'; otras fueron las convicciones en las que creyó cuando sólo era un aprendiz de escritor, y otras, también muy diferentes, las que concluyó descubriendo e hizo suyas en la senectud. Siendo muy joven, casi un niño, Ramón sintió la atracción de la más extremosa doctrina política; en aquella edad, cuenta Gómez de la Serna en su primera autobiografía, "con unos desconocidos, que después he perdido de vista, iba a leer *Tierra y Libertad* al paseo de Coches. Contraste anarquista, que era lo que más me desesperaba". De lo que califica como su 'sarampión anarquista' habla también en *Automoribundia*; recuerda aquí su asistencia, unido a hombres de 'extraña catadura', en los Jardines del Buen Retiro, a un mitin con oradores socialistas y republicanos; el propósito de perturbar la ordenada celebración del acto, que se esforzaron en cumplir, motivó la intervención de la policía y el epílogo que tuvo el incidente ayudó mucho a curarlo de tan apasionadas preocupaciones, de aquellas primeras veleidades políticas. Su rebeldía se mantendría aún unos años con manifestaciones puramente teóricas, como lo confirma la lectura de *Morbideces,* obra en la que recusa el dogma cristiano y a la vez las doctrinas de Schopenhauer y Nietzsche, de Proudhon, Comte y Spencer, creadores, afirma, de nuevos fetichismos; proclama allí, con sincera ingenuidad, su desprecio por los imperativos sociales; "soy algo así como la personalización de la doctrina Monroe", afirma; lo que califica de 'salvajismo languidesciente', único principio al que reconoce validez, le fuerza a repudiar cuanto no permita la simple satisfacción sensual. Esta convicción, su desarrollo dialéctico, da tema a una serie de artículos que Ramón publica en los primeros números de la revista *Prometeo*; en uno de ellos, arrogándose el papel de portavoz de la más joven promoción literaria, llegará a afirmar: "Hay que enseñar a los hombres la arbitrariedad", postulado al que suma la predicación de un tipo de existencia regido por 'los absolutismos íntimos', lo que para Ramón quiere decir, en tal fecha y también bastantes años después, vivir al servicio de las más elementales e imperiosas apetencias instintivas.

El más veraz testimonio de los ingredientes que componían

el mundo ideológico de Gómez de la Serna en los años de su juventud se encuentra en *El Libro Mudo,* obra densa y confusa publicada en varios números de *Prometeo.* Su lectura, no fácil desde luego, permite asistir al proceso de cristalización de una actitud a la vez ideológica y estética que por muchos años presidió tanto su labor de escritor como su vida privada. En ella vemos afirmarse su voluntad de apartamiento de la sociedad, la definitiva liberación de su conducta de normas y prejuicios. Tras la lectura de *El Libro Mudo* se entiende por qué en su retorno a la realidad Ramón reproduce ésta bajo la imagen de un mundo caótico donde sus elementos constitutivos, cada cosa, parecen haber cobrado vida propia, absoluta independencia, y como las cosas los seres humanos, las criaturas de ficción de la novelística ramoniana, quienes se comportan siguiendo normas bien distintas de las que gobiernan la existencia comunitaria.

En *El Libro Mudo* explica Ramón las razones que le indujeron a adoptar y luego mantener, con singular constancia, una actitud de apartamiento ante la vida social. Enfrentado con la 'ciudad', vocablo con el que alude a la convivencia humana, Gómez de la Serna proclama un ideal de vida que casi cabría calificar de robinsoniano; lo confirmará la transcripción de dos afirmaciones seleccionadas, en la obra que cito, entre las muchas que ella nos ofrece: "Es inefable que el hombre no pueda contar más que consigo mismo", dice la primera, y la segunda: "Hay una gran soledad en derredor de todos, una imposibilidad de sumarse". Lo que se llama sociedad, el humano convivir, se compondría, en realidad, de un ayuntamiento de soledades. El alejamiento de la 'ciudad', de la sociedad, que tales convicciones le impone, depara a Ramón satisfacciones íntimas; "estoy bien, confiesa, completamente bien, sintiéndome trásfuga, siempre ya en las afueras, completamente en las afueras... El quid era ganar las fronteras...

He salido de todas las fronteras muriendo civilmente". Creo conveniente añadir nuevos testimonios sobre esta actitud suya de radical insociabilidad; el mundo, dirá Ramón, el mundo de los hombres, claro, "es un espacio intermedio donde como en una máquina neumática terrible la idealidad pública ha creado lo imposible, lo lógico, lo viciado"; lo absurdo, que en la escala de valores de Gómez de la Serna quiere decir lo liberador, "está en lo más alto, en lo más bajo, en lo más allá o más acá del más acá, a la espalda, muy a la espalda de la ciudad". La huida torna a ofrecérsele como única salvación: "Hay que dejar a la ciudad en la ciudad". El aristocrático individualismo ramoniano, nutrido con los restos de su anterior admiración por el credo anarquista, no oculta su repugnancia ante los ideales democráticos; en la ciudad, opina Ramón en *El Libro Mudo,* "todo es labor de mayorías... Tres se imponen a uno... Ciento contra cincuenta...; todo lo corruptor se debe a la concepción múltiple, congregante, siempre fraternal o pederasta o matrimonial de la vida"; en la ciudad, añade, "todos necesitan como asesinos, del amor, de la cercanía, del pacto". Estas conclusiones, tómese de ello nota, que parecen inspiradas, y en buena medida ello es cierto, por la propensión al extremismo y la intransigencia propias de la juventud, siguió aceptándolas Ramón, y ellas gobernaron su vida, cuando el paso de los años hacía esperar actitudes más propicias a una mejor comprensión de la realidad. La inmadurez psicológica a que hice referencia en un capítulo anterior encuentra aquí nueva confirmación; lo dicho antes al referirme a su vida sentimental y lo que ahora se descubre al adentrarse en esta otra parcela de su intimidad ayudan a explicar, justificándola, la impresión de prolongada juventud que sugiere el acercamiento a la vida de Ramón y el examen de su mundo personal.

El Libro Mudo, no he concluido aún el estudio de esta obra, ofrece abundantes datos para rehacer el sistema de convicciones últimas, de creencias en suma, verdadero soporte, por muchos años, de la existencia de Gómez de la Serna. "Ninguna divinización, ninguna cosa categórica", proclama Ramón; todo ha de ser degradado, abatido del pedestal en que lo colocó la ceguera humana; absurdidad, absurdidad siempre, tal es la fórmula que libera y puede salvar; preciso es, añade, "extinguirlo todo, inmolarlo todo, lunatizarlo todo, desconcertarlo, borrarlo y... absurdizarlo sobre todo y ante todo". Desde tal situación se comprende que para Ramón resulte ya vituperable incluso su anterior aceptación del credo anarquista. La recusación de toda norma para regir la convivencia, formulada con tan extremosos argumentos en *El Libro Mudo,* conserva su vigencia en escritos suyos de fecha bastante ulterior, utilizándola ahora para justificar su vida de 'torreófilo', de escritor libre de cualquier tipo de compromiso con la sociedad en que hace número. En su primera autobiografía, publicada en 1923, escribe Ramón: "Yo, eso sí, hago y seguiré haciendo vida de literato, una vida sin compromiso con ninguna otra cosa ni otra etiqueta...; una especie de vida llena de dudas, y, sin embargo, en pleno escepticismo. Quiero mezclar cada vez menos cosas a la vida de literato y que en vez de ser el resto literatura sea todo literatura vital, asumida, sin comparanzas con otro género de vida... Ya no me exalto ni me indigno, digo y lanzo los 'no creo', y nada más"; añade a poco de escribir lo que acaba de ser leído: "Estoy en contradicción con la humanidad, pero en dulce contradicción, que sonríe y generalmente calla. No suelo contradecir a nadie, pero mi obra es una pura refutación de ciertas ideas. Mi obra está desde luego al margen del honor y de la moral burguesa". Será preciso recordar estas afirmaciones cuando llegue el momento de examinar el mensaje de la literatura ramoniana.

Lo expuesto se acomoda bien a la idea que de sí mismo se forjó, y en fecha bien temprana, Gómez de la Serna; acude a demostrarlo el prólogo escrito por él para encabezar su segundo libro, *Morbideces,* obra que a juicio del propio autor 'patentiza la crisis de su espíritu'. Allí Ramón, impersonalizando la referencia, se define como "un poeta embrollado, un poeta perdido en las sinuosidades de un laberinto...; se pueden descubrir en él rasgos exagerados de sentimental"; cuando esto escribe, en 1908, está ya consumado en su mundo interior el triunfo de la carne sobre el espíritu: "Mi dirección literaria y pensadora es un desviamiento de mi sensualidad"; vencido, añade Ramón, el cerebro, mejor sería decir el espíritu, culpable, en opinión suya, de haber inventado dos grandes depravaciones: el corazón y la conciencia, "me quedé a solas con mi filosofía". Concluye Gómez de la Serna su confesión con las siguientes palabras: "El haber aprendido a leer y a hablar; el haber estudiado doctrina cristiana desde los siete años; el haber creído alguna vez en la inmortalidad, en el infinito (?) y en el amor; el llevar viviendo en la ciudad diecinueve años; el haber leído declamatoriamente a los quince años a Becquer, a Heine y a Víctor Hugo...; todo esto ha sido un esfuerzo del cerebro que lo ha precipitado fuera de su órbita, lesionándolo con una enfermedad que se puede llamar *hernia intelectual*". Interpretar, como se debe, estas declaraciones obliga a tomar en cuenta la edad de Ramón cuando las formuló, y en consecuencia justificar con este único argumento, y en buena medida, su extremosidad; cierto es que muchos, en la hora inicial de su juventud, han pensado como lo hace Ramón y de haberles sido posible hubieran expresado opiniones muy semejantes a las suyas, pero es innegable asimismo, y en ello radica la efectiva importancia de lo que se analiza, que en Gómez de la Serna la juventud, entendida como situación psicológica, fue etapa vital nunca superada por entero, dando origen a una suerte de inmadurez espiritual a la que ha sido ya preciso aludir en más de una ocasión.

En los años finales de su vida, período cuyo comienzo coincide con la guerra civil española, la edad, el exilio y también las preocupaciones económicas ponen cerco, día a día más estrecho, a la existencia de Ramón, provocaron un proceso de introversión y terminaron por suscitar un enfrentamiento con el crucial e insoslayable problema de la propia finitud y la posible y acaso inconscientemente anhelada perduración personal tras la muerte. Su interpretación del mundo como una mezcla de gigantesco 'Rastro' y espectáculo circense, forjada en años, lejanos ahora, de juventud, y su visión de sí mismo cual desinteresado espectador de lo que en tal mundo acaecía, empieza para Gómez de la Serna a descubrir su inconsistencia. Sin perder vigencia tal entendimiento de la vida comunitaria, incluso reafirmándose, lo cierto es que aquella convicción adquiere hondura, a lo que en ella había de grotesco se suma lo trascendente y, fundidos ambos elementos en apariencia antagónicos, es ahora cuando la ideología ramoniana recuerda mejor la que en otras épocas formularon figuras tan representativas del pensamiento hispánico como Quevedo y Torres Villarroel y en el terreno artístico universalizó Goya.

La sobrevaloración de la muerte, que realiza Ramón apenas ha sobrepasado con su vida la linde de la madurez, viene en cierto modo anticipada por su anterior y siempre evidente preocupación por la enfermedad. El tema del enfermar humano dio motivo a una de sus primeras y más originales novelas, *El doctor inverosímil*; de la patología le interesó ya entonces, y nunca ha dejado de inquietarle, las perturbaciones del funcionalismo cardíaco, el mal, es sabido, que más amplios ecos desvela en la mente del hombre por ser el que con mayor brusquedad puede arrojar su vida en brazos de la muerte; al doctor Vivar, protagonista del relato que cito, le hace decir su creador: "Yo soy un 'corazonista', es decir, un poco el especialista del corazón, y lo que más he estudiado en él es su vaguedad y su espanto, su pánico". Con significativo pormenor teoriza Ramón en *Automoribundia* sobre el enfermar; "soy un enfermo sano, dice aquí, o si se quiere un enfermo estable"; "soy un pobre enfermo que vive gozando de salud", repite en 1957. Uno de los motivos que ayudó a anudar su amistad con Ortega y Gasset fue el interés que ambos mostraron por las conquistas de la terapéutica; se hizo habitual el que se obsequiaran mutuamente con algún nuevo fármaco y comentaran sus efectivas o supuestas virtudes curadoras; "éramos, cuenta Ramón, como dos ajedrecistas cuando cambian impresiones sobre sus jugadas". Gómez de la Serna, recuérdese, llegó incluso a organizar en su tertulia de Pombo un 'banquete farmacoterápico'.

No creo preciso insistir en el examen de esta faceta de la personalidad de Ramón; basta lo dicho para ayudar a entender su aguzada sensibilidad ante el hecho del morir, intensificada también por el paso de los años y el consiguiente acercamiento de su existencia a la hora del inevitable acabamiento. Testimonio de esta interesada curiosidad de Gómez de la Serna, de la preocupación en ella implicada, nos lo ofrece su libro *Los muertos y las muertas*, cuya primera edición, la fecha es ya significativa, apareció en 1935. La parte fundamental de la obra que cito se compone de unas pormenorizadas reflexiones sobre el morir humano y la realidad de la muerte; digno de destacarse es el rico muestrario de textos, de muy varios autores, que en ellas intercaló Ramón, lo que viene a decirnos fueron muchas y diversas las lecturas hechas por él buscando, es seguro, respuesta a incógnitas cuyos propios recursos intelectuales debieron ser incapaces de abordar.

Los muertos y las muertas nos descubre también algo sobre lo que debió ser la vida íntima de Ramón en los años de senectud, cuando, totalmente desasido de lo circundante, se despiertan en él los sentimientos religiosos; basta recordar, para reafirmar estos supuestos, la glosa que en el libro nombrado hace Ramón de la palabra 'morirás', utilizando textos de Séneca y Quevedo, de Francisco Arias Carrillo y Torres Villarroel. El tema de la muerte y la afirmación religiosa aparecen íntimamente trabados en la reflexión ramoniana. "La insistencia en la idea de la muerte, escribe Gómez de la Serna, es una llamada al mayor vivir y el único aviso moral en épocas en que lo religioso duerme en la modorra general. Hay que pensar que no seremos los vivos sino los muertos"; "al morir se es otra ventana en otra parte". Ahondando en el tema de la finitud humana llega Ramón a religar su personal existencia a la presencia divina, torna a la fe infantil, al tiempo que priva a la muerte de su terrorífica apariencia: "Según pasan los años, intimamos más con la muerte, que es la ventana que da a Dios. Gracias a esa constancia en la meditación, evitamos la tanatofobia, el miedo patológico a la muerte, que arredra al hombre". La reflexión sobre el morir elaborada por Ramón aparece en ocasiones envuelta con el ropaje humorístico que viste los mejores capítulos de su obra de escritor. "Oscilo entre el circo y la muerte, escribe en *Automoribundia*. Amo los payasos y los muertos y encuentro gran parecido entre unos y otros, habiendo observado que los payasos se caracterizan de muertos, pálidos, pálidos, con los ojos hundidos en negrura, dos colmillos de calavera en la nariz y la boca rasgada como la de los cráneos que ríen". El senequismo, evidente en la actitud ideológica de Ramón, se aúna en él, como sucedió en Quevedo y en Torres Villarroel, a una invencible propensión a fundir, en la misma imagen, lo grotesco y lo grave; es aquí, no cabe dudarlo, donde la literatura ramoniana descubre su más evidente raigambre hispánica; estaba Ramón en lo cierto cuando escribió: "El humorismo español está dedicado a pasar el trago de la muerte, y de paso para atravesar mejor el trago de la vida. No es para hacer gracias, ni es un juego de enredos."

Para dar remate a este recuerdo de la meditación ramoniana sobre la muerte, considero preciso repetir aquí algunas de sus más reveladoras afirmaciones. Se lee en *Automoribundia*: "Uno en la vida es un juerguista triste de la muerte. Sólo hemos imitado el vivir. No se muere por una enfermedad, sino por cansancio de vivir, porque la vida quiere dormir, ¡dormir!, dormir en la muerte". Vivir, para Ramón, es ir muriendo; por creerlo así en cierto momento de su existencia pudo hallar un espléndido título, 'Automoribundia', para rotular la historia de su vida; "he muerto un poco en la palabra y en la onda, un mucho en los trabajos sueltos, pero me he hecho un modesto sarcófago de libros", tal es el resumen que Gómez de la Serna traza, en 1948, de su existencia, que siempre estuvo consagrada, el lector lo sabe, a cumplir el imperativo vocacional. La preocupación por la muerte, por lo que tan tremendo trance supone, fue ignorancia que siempre ansió Ramón convertir en sabiduría; ya en *El doctor inverosímil* hace exclamar al doctor Vivar: "La muerte es precisamente el dejar de concebirla... Donde menos está ya la muerte es en el muerto... El muerto está ya al margen de la idea de la muerte... La muerte se queda en nosotros, que la miramos; él la arroja en manos de los vivos y se desprende de esa idea desagradable". Referencias reiteradas a la muerte, cuya presencia cree Ramón descubrir siempre a su lado, se encuentran sobre todo, es comprensible, en sus últimos escritos, de preferencia en los de carácter confesional; en uno de ellos, *Cartas a mí mismo,* donde llama a la muerte la 'asesinadora', figura esta imaginación del morir de singular belleza literaria:

"¿Cómo será ese cuarto de segundo, ese momento entre el hablar y el no hablar, entre el pensar y el no pensar, ese divorcio entre lo que se mueve y vibra y lo completamente inmóvil?

Tapias blancas... No saber cómo llamarse a sí mismo... Todos los yoes desaparecen muriendo como una partida de gansos que desaparecieran en el no saber ya dónde... La luz no se sabe dónde está ni dónde queda su llave... El espejo se yergue, pero no podremos nosotros erguirnos en él... Hemos quedado fuera de todo, en lo impermanente de lo permanente... Eramos el viajero que estaba haciendo el baúl de soñados viajes y se cae dentro del baúl y se lo llevan en dirección desconocida... Al escribir sonaban los caireles del candelabro y de pronto ya no suena nada... ¿Qué es un sacacorchos? Ya no se sabrá ni qué es eso... Ya el aire no estará fuera ni dentro, sino por otro lado... Eso que nos desesperaba tanto —el esperar— ya no existe... Ya nada: es un plumero caído...; no..., menos..., menos, nada...: un papel caído en el cesto de los papeles... Estaba fisgando la vida y de pronto el 'estaba' se convierte en un 'no estoy' para siempre... Queríamos decir lo que no dijimos nunca, como si no hubiésemos sabido vivir nunca la vida y hubiésemos estado muertos antes de morir... Sólo serán nuestras alcobas los subterráneos de tierra, pero sólo simbólicamente, según unas palabras que ya no sabremos ni podremos leer nosotros porque olvidamos nuestra lengua, aunque creo que para traducirla a otra, a otro hablar, que es lo más famoso del caso. La gran sorpresa... el revés del revés de todos los reveses en una fracción de segundo inconmensurable, tanto que creeremos en seguida que allí hemos estado siempre porque lo que habrá sucedido es que hemos entrado en el Siempre, que no admite nada en el antes ni en el después, y eso gracias al alma, que es el paracaídas que se abrirá cuando caigamos en los insondables abismos, el paracaídas que no fallará, que se desplegará como una medusa en el agua, dándonos cuenta súbita de que vivimos en otro elemento del que salimos sin saberlo y al que volvemos al fin."

Para comprender en el texto leído y en cuantas reflexiones han sido antes citadas lo que suponen de cambio, y radical, en la intimidad de Ramón, basta confrontarlas a las tajantes afirmaciones hechas por él en años de juventud también rememoradas en este mismo capítulo. Entre ambas actitudes vitales está la vida entera del escritor, la existencia de un hombre que siempre gustó analizarse, contemplar el panorama de su mundo íntimo.

La interiorización que los años le imponen, el encarar la propia muerte como evento que en cualquier instante puede acaecer, acentúa en Ramón, es comprensible, su habitual postura antisocial, ahonda el foso que siempre lo aisló de sus coetáneos. Su visión antes humorística de la sociedad cobra gravedad; nuevas razones vienen a dar diferente cariz a su crítica de los principios que rigen la convivencia humana; razones las de ahora, importa destacarlo, que como las formuladas en épocas anteriores, le justifican ante sí mismo en su actitud de apartamiento. Escribe en su libro, de 1957, *Nuevas páginas de mi vida*: "La frase más sintética que se puede hacer para calificar el terráqueo es 'inmundo mundo'... Yo no soy protagonista de nada. Yo observo y otorgo y no otorgo." Se suceden, en la obra que nombro, como en otros textos autobiográficos de esta etapa final de su vida, las afirmaciones que aluden, con indudable unanimidad, a la convicción, en él ya inquebrantable, de que vive en una sociedad dentro de la cual se considera un extraño; se ve a sí mismo, en suma, como último resto de un mundo que ha dejado de ser actual; 'ya soy un superviviente', dirá aludiéndose. Desde tal situación, aceptado el casi total desasimiento por ella provocado, era natural que Gómez de la Serna hiciera, como en realidad hizo, y en más de una ocasión, el elogio de la soledad; soledad, recuérdese, que siempre buscó para su existencia; ahora, reforzado aquel deseo, escribe: "Tenemos una sola vida, y en esa sola vida se plantea el dilema de estar solos o estar corrompidos... Mi única fortuna es la soledad para crear mis artículos o mis obras, en una casa en que no suena el timbre más que cuando traen pruebas o vienen por más cuartillas." "Mi riqueza, continúa, no es sólo el no tener nada, sino el no ir a ninguna parte... Mientras no se nos gangrene la vida desde dentro hay que procurar que desde fuera no nos la gangrenen los demás." En ocasiones, sin embargo, y es comprensible que ello suceda, la soledad, aun deseando no perderla, pesa y agobia, nutre el desaliento; Ramón tuvo, naturalmente, estas claudicaciones y viviéndolas confesó: "cada vez estoy más solo y me voy quedando sin mí mismo. Algo consume mi compañía, esa que rodea al hueso y al alma".

Añora, desde la senectud, una edad de su vida ya lejana, cuando era festejado y su literatura comentada, criticada o ensalzada; años en que recorría Europa y se encontraba con arrestos para cumplir plenamente el duro quehacer que voluntariamente se impuso, sin que todavía descubriera su fondo el saco de las ilusiones; años, también, en que las dificultades económicas eran sorteadas con un guiño alegre. Ahora carece de todo; le falta juventud y futuro, sus escritos no encuentran lectores y la crítica los silencia; la penuria económica le agobia como nunca, y todo aunado contribuye a derrocar la confianza en sí mismo, a hacer vacilar, incluso, su probado amor a la soledad. "Flojea la voluntad, confiesa Ramón en crisis de desaliento. En verdad no debían vivir más que los rentistas. Es muy difícil seguir llenando de dignidad el alma inmortal que Dios nos dio, y cuyo colmaje es el único deber del hombre, identificándose así con el más allá." "El caballero antiguo, añade, tenía por lo menos como una cruz de cementerio, afilada y envainada, su espada, su herrumbrada espada, ni para matar ni para morir: para llevarla, para tenerla como gran compañera. Yo, a lo más, tengo pluma." Es la de Ramón, en estos años finales de su vida, la actitud del hidalgo hispánico; postura que sólo en ciertos momentos se quiebra, cuando deja al desnudo su intimidad en esas patéticas confesiones que componen sus imaginarias cartas y varios capítulos de los escritos autobiográficos.

Lo expuesto en los últimos párrafos de este capítulo tenía como único propósito presentar al lector, con el apoyo de los indispensables documentos probatorios, la situación vital vivida por Ramón en el acto final de su existencia. Cumplido, pienso, tal cometido, es momento de conocer el sistema ideológico y creencial ahora aceptado por él; en algunos aspectos, este núcleo de convicciones sigue siendo muy semejante al que nutrió su vida entera; en otros, por el contrario, la mutación ha sido total. En lo que atañe a su interés por los problemas políticos, Ramón, queda indicado ya, una vez superado su inicial fervor anarquizante, nunca dejó de sostener una actitud de completa indiferencia; fue uno de los contados escritores que no se dejaron tentar, ni fugazmente siquiera, por la pasión banderiza; asistió imperturbable a los más graves y decisivos sucesos de la vida comunitaria española; la guerra civil y el cambio, radical, que ella impuso en España, acabaron convirtiendo a Gómez de la Serna, lo ha reconocido él mismo, en anacrónico superviviente de una época definitivamente clausurada. Su expatriación desde 1936 la mantiene Ramón, cito sus palabras, "para conservar mi independencia sin remordimientos, sin temores y sin claudicación, defendiendo como un adelantado de España en Indias, la España eternal"; con el término

'España eternal' Ramón alude, acaso sin percatarse bien de ello, a una España que es ya sólo suya, pues su vigencia histórica, para bien o para mal, júzguelo cada cual según sus preferencias o prejuicios, naufragó en las horas inciertas de la contienda civil. Ninguna de las dos Españas que en aquella dramática crisis se enfrentaron, ni la que persistió, por haber vencido, en el solar patrio, ni la que desde entonces, por quedar vencida, se convirtió, y sigue siéndolo aún hoy, en la España peregrina; ninguna de ambas, repito, es o fue la España de Ramón; su España, yo así la imagino, era una pura creación personal en la que sólo formaba parte, del mundo exterior, un cierto clima cultural, carente hoy, desde luego, y para todos, de vigencia.

Desde esta situación, que define al escribir: "para lo único que vivo es para tener en activo la sinceridad independiente de toda política o de toda consigna", Ramón explaya sus mejor razonadas reflexiones sobre los principios que rigen la convivencia humana. Figuran en *Automoribundia* y de ellas considero preciso ofrecer aquí una noticia suficientemente explícita. Miembro de una familia en la que fueron varios los que ostentaron cargos públicos, Ramón, acaso por ello mismo, muestra, y desde edad bien temprana, su desdén por la política; quiso ser sólo escritor, hombre de letras, y el servicio a tal vocación, así lo entendió él, no puede ser compartido con preocupaciones de cualquier otro tipo. Desde luego, obligado a definirse, Gómez de la Serna se muestra partidario del sistema político que más favorezca el apacible desenvolvimiento de su existencia privada; "mi deseo, escribe en sus memorias, es que existiesen unos poderes —turnándose si fuera necesario— que no vacasen en su papel de evitar los agiotistas y los agitadores excesivos, es decir, suprimir los lucrones y los embaucadores. Conservador mejorándolo todo"; en otras palabras, un sistema de convivencia que permita al escritor

22. RAMÓN EN PARÍS

23. RAMÓN Y "AZORÍN"

Hacia 1925

24. RAMÓN Y ORTEGA. *1929*

25. REPARTIENDO JUGUETES

26. RAMÓN EN *1930*

7. CARMEN DE BURGOS

mantenerse al margen de toda imposición social. A esta inicial formulación de sus preferencias, expresión, innecesario resulta subrayarlo, del espléndido egoísmo ramoniano, pueden sumarse testimonios útiles para comprender mejor lo que queda dicho; el literato, a juicio de Ramón, "debe sentir como drama, comedia o apología las horas políticas, porque es el espectáculo que educa más en la psicología del mundo, en que el escritor es el principal crítico biológico. Quizá el literato, añade, pueda ser buen juez de políticos, pero mal político, porque al ser político se enturbiaría su condición de literato". Torna aquí Gómez de la Serna a lo que resulta ser verdadero núcleo inspirador de su existencia personal; el escritor ha de mantener su vida al margen de cualquier contienda social; libre de todo prejuicio, sólo el literato puede representar el papel de espectador, contemplar lo que en la escena sucede y enjuiciar el comportamiento de cuantos en ella actúan como protagonistas o hacen número en la masa anónima del coro. En ocasiones, el escritor puede hacer que su apartamiento de la convivencia llegue al extremo de desechar incluso la misión de juez y cronista del espectáculo. "Yo no he nacido para someterme a una consigna", proclama Ramón, y añade: "Yo quiero tener otras ideas que los que tienen otras ideas, y no me puedo exponer a que aplasten mis soluciones poéticas"; para evitar ser turbado en la soledad apacible de su refugio, Ramón, consecuente 'torreófilo', se definirá partidario de la fórmula de Goethe: 'vale más la injusticia que el desorden'. Durante un tiempo, los mejores años de su vida, Ramón no tropezó con mayores dificultades para convertir en realidad de cada día este ideal; el drama dio comienzo para él cuando la sociedad de la que formaba parte empezó a considerar inadmisibles las actitudes insolidarias; mantener desde tal fecha, el lector lo sabe, aquella norma de vida supuso aceptar sacrificios y renuncias que no creo inapropiado calificar de heroicos.

En el fondo de lo que, por designarlo de algún modo, calificaré de doctrina política de Gómez de la Serna, alienta una particular concepción de la vida, explícitamente formulada por Ramón en *Automoribundia*: "La suerte y el genio del hombre, escribe allí, es el sometimiento de todas las cosas al ritmo de la vida en su capacidad de vivir y morir, en el bien tomado espacio del gran reloj de las horas vivas y de las horas muertas, acondicionando las tareas a los ángulos de su cuadrante... Tener dignidad en la pobre vida que se lleva, encaminarse hacia lo no tenebroso, no ser esa cosa pálida y obscena que es ser un aprovechado". A la formulación generalizadora, ahora como en tantas otras ocasiones, Ramón anuda una alusión a su personal experiencia, el ejemplo de su propia vida. Cuando escribe lo que estoy rememorando Ramón siente la necesidad de hacer confesión general, 'ha llegado la hora del resumen', la frase es suya, y plegándose a este imperativo, su vida, que ya sólo es un pequeño montoncito de recuerdos, la define así: "He intentado tener toda la dignidad que he podido... He vivido (mi vida) sin tener que rogar, sin sufrir ninguna jefatura, sin coimear a nadie, sin tener que usar amenazas ni programas violentos, sin chanchullear lo más mínimo"; su existencia transcurrió, puntualiza, alejada de la simonía literaria, el prebendismo político y 'la bicoca concursera'; "he cumplido, añade, el ideal español —del puro y verdadero español— de no ser nada aparentando ser algo, no ser nada y vivir como siéndolo todo, con medio siglo de omnímoda libertad, sin señor que me mande, ni hermano que me veje, escapado a todo lo que compromete a la no verdadera heroicidad, pues la limpia y desinteresada heroicidad no existe sino en el acto de decir todo lo que se piensa de la más libre y expresiva manera", y como escritor, concluye, "he asistido a la creación literaria como a una fiesta de verdad y fantasía, y así sin notarlo se me ha pasado más de medio siglo". El lector podrá aceptar o poner en duda la verdad efectiva de estas afirmaciones, yo mismo, quiero advertirlo, las acotaría con algunos reparos, que silencio, sin embargo, porque aquí mi pretensión es rehacer, en la medida que ello es factible, la estampa que de sí mismo se forjó Ramón, presentar en suma al que creyó ser.

La más completa conversión de su vida privada en tema literario la llevó a cabo Ramón en su novela *El hombre perdido,* editada en 1947, por las fechas, anótese la coincidencia, en que debió redactar *Automoribundia.* En el relato novelesco su innominado protagonista, reencarnación libresca del autor, vive su existencia, como es seguro que Ramón vivió la suya, pensando que en la vida "lo único cierto que hay es que hay algo que nos empuja como un torrente a una velocidad inconcebible". Nuestro héroe es un hombre perdido; perdido en el mundo, cuyo sentido trascendente busca sin hallarlo, y perdido también en el tiempo; hombre que anhela el amor y no lo encuentra, que espera dar consistencia a la fugacidad de su existir y tampoco lo logra; hombre, en fin, que vive sin conocerse; parece ser el propio Ramón quien habla de sí mismo, cuando su criatura dice en el curso de un soliloquio: "Los que intrigan por el dinero, por la poesía o por la política tenían algo en qué afanarse, pero yo que no intrigaba por nada, yo que sólo sabía ganarme la vida y vivir al día, no sabía a qué atenerme por querer tener la certidumbre pura de adónde lleva la calle prolongada hasta el infinito". Tenemos ya al personaje, a su creador en realidad, encarando la crucial interrogante que se alza en toda reflexión sobre la esencia del humano existir; el autor, igual que su criatura de ficción, antes, es posible, sin percatarse de ello, ahora, cuando la novela se escribe, dándose cuenta de lo que busca, lo que persigue es 'una explicación al lío del vivir', esperando con su posesión saber a qué atenerse acerca de sí mismo, dejar de sentirse 'perdido'. Ya dueño de la verdad ansiada, conocimiento capaz de conferir sentido a su propia existencia, el personaje, y como él quien lo creó, sólo aceptará 'invitaciones al fondo del vivir' mientras espera serenamente "se abra una ventana entre dos ventanas, la de non, la disimulada y se vea la cruz de piedra del panteón". Encarada la vida desde su muerte, el curso de su existencia se le ofrece bien distinto de como hasta entonces lo vio; "somos, dirá ahora generalizando, unos caracoles desnudos que después de unos días de asueto acaban por meterse en el caracol que habían abandonado...; el nicho o el panteón, según el tamaño de la fortuna". Estamos ya, con Ramón como preceptor, invitados a aceptar una interpretación ascética del vivir humano, y a través de ella, a contemplar la Divinidad. Un personaje de *El hombre perdido* advierte a los lectores de la novela: "Es aburrido no creer en el Dios de la vida y de los cementerios... Lo único interesante es Dios, lo demás es lenta diabetes de la muerte, tan lenta que a unos los mata a los treinta años y a otros a los noventa".

En esta incursión por el mundo ideológico de Ramón Gómez de la Serna, realizada mientras transitábamos por su vida, desde la infancia a la senectud, con la guía de sus propias confesiones, corresponde ahora hablar del núcleo creencial. La proximidad del acabamiento natural para su existencia, la introversión impuesta por la ancianidad, devuelven a Ramón convicciones que en él dejaron de ser operantes desde los años de adolescencia. Esta distinta situación vital le hace afirmar en la confesión general que publicó en 1948: "Sin Dios, sin la idea de Dios, no se puede vivir, no es posible creerse alguien en el mundo... El secreto del contentamiento máximo está en Dios y si no existiese Dios seríamos mudos"; acepta Ramón una creencia y los dogmas que de ella se deducen: "En la disciplina y perseverancia de la religión cristiana están la liberación y la evasión absolutas". Se retracta, desde luego, de cuanto de su pasado no puede seguir aceptando, pues Dios, afirma ahora, 'es obligatorio'. Más explícita que en *Automoribundia* es la profesión de fe que Ramón realiza en *Nuevas páginas de mi vida,* obra publicada en 1957; "la vida, dice aquí, es respirar Dios, pues sin eso no tendría ningún valor ni sentido"; sin Dios, en la existencia humana "todo quedaría inexplicable, como con fondo de promontizada tierra, sólo breñal y peñascal". "Nada sin Dios, añade, ni en la vida ni en la muerte. Si no hubiese la probabilidad de entrar en su seno, el habernos asomado a la vida sería una mera y vana curiosidad". Los textos podrían multiplicarse; de cuantos eludo citar quiero sólo reproducir éste: "Lo único grande que tienes es que te crees cada vez más criatura de Dios, con una herencia portentosa que es tu verdadera prolongación en lo inmortal". La posesión de tan firme convicción hace que en Gómez de la Serna, ya a las puertas de su acabamiento, renazca el optimismo y se ilumine con nueva y poderosa luz su soledad. Por pensar ahora, lo diré con sus propias palabras, que 'gracias a la muerte ganamos a Dios', escribió en 1956, en una de sus 'cartas a mí mismo', este significativo párrafo que testifica del casi total desasimiento de lo histórico alcanzado por Ramón en los últimos años de su vida: "hay que estar prestos, ligeros de equipaje, sin ajenidades que produzcan el dolor desgarrador de querer agarrarse en vez de irse como cadáver suelto en el río".

Contemplada desde esta otra orilla, Ramón cree descubrir en su pasado, oculta en la peripecia de cada jornada, una cierta fidelidad, diríase inconsciente, hacia los principios ahora redescubiertos. En el prólogo que escribió en 1956 para encabezar el primer volumen de sus *Obras Completas* afirma, resumiendo tanto su vida privada como su labor de escritor: "He querido ser un alma verdadera en camino de Dios, pues siempre vi que el horizonte final de la vida y del arte estaba cortado a pico sobre el inmenso panorama de la Gloria eterna". Aunque no se dude de su sinceridad, cabe considerar disputable esta última afirmación de Gómez de la Serna; lo que de su vida sabemos, y ha sido relatado, el testimonio que su copiosa actividad literaria nos ofrece sólo autoriza a concluir que la existencia de Ramón, e igual que su vida su quehacer de escritor, discurrieron, hasta las postreras jornadas, gobernados por impulsos que no hacían presumible acabaran conduciéndole al puerto en el que finalmente recaló; cierto es, no obstante, que hasta las sendas más extraviadas pueden, próximo el insoslayable acabamiento, torcer, sin razón aparente, su rumbo y desembocar donde ni el propio caminante, hacedor de su destino, hubiese sospechado arribar.

CAPITULO IV

SU LITERATURA

La obra de Ramón Gómez de la Serna, unificada, bajo su diversidad temática, por unos muy peculiares rasgos estilísticos, y de la que se hará análisis pormenorizado en la Segunda Parte de este estudio, fue elaborada, lo confirma cuanto queda expuesto en el precedente capítulo, sobre unos supuestos ideológicos y creenciales que asimismo, era natural, prestaron soporte a la personal existencia de su autor. Resta por conocer, y a examinarlas consagraré el capítulo que ahora inicio, las peculiaridades, éstas propiamente literarias, que de modo bien acusado individualizan la obra ramoniana. Cualquiera que sea el género a que un libro suyo se adscriba, novela o teatro, biografía, divagación o greguería, siempre nos ofrece rasgos de clara identidad con el total de sus escritos y ello resulta tan evidente que no dejaría de estar justificado el englobar el voluminoso cuerpo de sus obras, sin ninguna excepción, en un género literario, único y nuevo, que podría rotularse 'ramonismo', vocablo que el propio Gómez de la Serna usó para dar título a uno de sus libros. En el presente capítulo, lo repito, y para que sirva de introducción al examen particularizado de su obra, voy a someter a consideración crítica el estilo de Ramón.

En el cumplimiento de tal cometido el primer problema a que debe darse explicación atañe a los posibles precedentes literarios en la obra de Gómez de la Serna. Muy diversos son los influjos que la crítica pretende haber descubierto. Se ha citado, en primer lugar, a los novelistas que Ramón leyó en sus años de iniciación como escritor; se cuentan entre ellos Charles Swinburne y Carlos Callet, Colette Willy, Anatole France y Remy de Gourmont, Jean Lorraine, 'Rachilde' y Saint-Paul-Roux, Baudelaire y Gerardo de Nerval, Barbey d'Aurevilly y Villiers de l'Isle-Adams, John Ruskin, Gabriele d'Annunzio y Oscar Wilde; de varios de los nombrados trazó Ramón excelentes estampas biográficas que luego reunió en su libro *Efigies* y en los dos volúmenes de *Retratos*; su interés por la obra de estos autores queda demostrado con las versiones que de los mismos encargó realizar a Ricardo Baeza y a su hermano Julio para publicarlas en la revista *Prometeo*. Eugenio de Nora, refiriéndose a quiénes pudieron ser para Ramón 'fermento original', o cabe considerar, por su labor, como representantes de orientaciones literarias paralelas a la encabezada en España por Gómez de la Serna, cita a Jorry, Saint-Paul-Roux, Jules Renard, Apollinaire, Max Jacob, Fargue y Henri Michaux; a esta referencia nominal añade el autor que nombro: "Sin duda, la iniciación decisiva en el vanguardismo de Ramón, lo que lo sitúa como adelantado y precursor de los movimientos de la postguerra europea, procede de su saturación y asimilación perfectas de la literatura francesa moderna. Pero es también indudable que sus raíces francesas están en general lejos o cronológicamente *antes* de los autores citados, y es sólo de un 'origen' hasta cierto punto común de lo que procede el vago aire de semejanza que ofrece con ellos, o la coincidencia de algún aspecto parcial. Es en la literatura francesa de 1857 a 1905 —decadentes, simbolistas, neomísticos, etc.—, donde hay que bucear el punto de partida de Ramón, no en sus coetáneos (y menos tratándose de un escritor precoz como él); hasta el punto de que debemos considerarlo ya formado, libre de influencias decisivas y desenvolviendo su personalidad con total autonomía, desde 1910 a 1912". La opinión de Eugenio de Nora, que juzgo en sus líneas generales certera, tiene indudable confirmación en la obra primeriza de Ramón, muy particularmente en sus ensayos dramáticos.

Diversos comentaristas de la obra ramoniana han señalado, concretos influjos sobre la misma o, cuando menos, estrechas semejanzas; entre otros que silencio, cabe citar la posible influencia ejercida en Ramón por Rimbaud, que apuntan Valéry Larbaud y Marichalar; Waldo Frank descubre una cierta identidad entre Proust y Gómez de la Serna; como el escritor francés, escribe Frank, "Ramón urde... el hechizo huidero de un mundo que se disuelve, pero la disolución no es social, sino subjetiva". Francis de Miomandre, y en este juicio coinciden otros críticos, señala un evidente paralelismo entre las obras de Apollinaire y Ramón.

Es indisputable la temprana aceptación por Gómez de la Serna del credo 'futurista'; bastará recordar para confirmarlo su edición, en *Prometeo,* en 1910, de varios 'manifiestos' de Marinetti; un año antes, en la misma revista, Ramón calificó el 'futurismo' como "una de esas proclamas maravillosas, que enseñan arbitrariedad, denuedo, y que son la *garrocha* que necesitamos para saltar", y añade, reduciendo a fórmula su programa: "Convivamos con lo contradictorio, con lo absurdo". La 'Proclama futurista a los españoles' de Marinetti, publicada, como dije, en *Prometeo,* se encabeza con un breve prólogo de 'Tristán', seudónimo entonces bastante utilizado por Ramón, que se inicia con estas significativas exclamaciones: "¡Futurismo! ¡Insurrección! ¡Algarada! ¡Festejo con música wagneriana! ¡Modernismo! ¡Violencia sideral! ¡Circulación en el aparato venoso de la vida! ¡Antiuniversalismo! ¡Tala de cipreses! ¡Iconoclastia! ¡Pedrada en el ojo de la luna...! ¡Desembarazo de la mujer para tenerla en la libertad y en su momento sin esa gran promiscuación de los idilios y de los matrimonios...! ¡Conspiración a la luz del sol, conspiración de aviadores y de *chauffeurs*!... ¡Crecida de unos cuantos hombres solos frente a la incuria y a la horrible apatía de las multitudes!... ¡Gran *galop* sobre los hombres sesudos, sobre todos los palios y sobre la procesión gárrula y grotesca!". Con estas y otras parecidas expresiones, con su '¡pedrada en el ojo de la luna!', Ramón abre la puerta de la literatura española al primero de los 'ismos' que pocos años después alcanzarán vida y ganarán adeptos en el convulsionado retablo cultural de la vida europea de entreguerras. No acabaría de entenderse el particular significado que debe atribuirse a esta temprana adhesión de Gómez de la Serna al 'futurismo' si no hiciese alusión al hecho de que el mencionado manifiesto de Marinetti a los españoles, prologado por 'Tristán', incluye una muy concreta referencia al momento político español de la época. Marinetti promete allí la salvación social de España de aceptarse el programa de Canalejas, en cuyo partido, recuérdese, era figura destacada el padre de Ramón; la extirpación del clericalismo con la supresión de los sesenta millones consignados en el Presupuesto para Culto y clero y la autonomía municipal y regional son logros específicamente reseñados por Marinetti, quien añade a tal mención: "La monarquía, talentudamente defendida por Canalejas, está en camino de hacer esta bella operación quirúrgica". No deja de ser curioso constatar cómo el promotor de uno de los primeros y más audaces credos estéticos del siglo acepta descender a tan menudos pormenores de la política partidista española.

El propio Ramón, en la autobiografía que publicó en 1923, se proclama 'primer creacionista natural' y añade fue el primero en atreverse a escribir 'lo de las manos ojivales'; sus greguerías, textos que pueden calificarse 'creacionistas', figuran ya en su libro *Tapices,* obra editada en 1913. Cansinos-Assens considera la obra ramoniana como la única novedad literaria hecha realidad en España durante las dos primeras décadas del siglo; "Ramón Gómez de la Serna es el continuador auténtico de las intenciones modernistas", opina el autor citado, quien también afirma que su obra de escritor se corresponde con las tendencias pictóricas de cubistas e integrales. La relación entre 'dadaísmo' y 'ramonismo' es apuntada por Guillermo de Torre; a su juicio Ramón, como Max Jacob, debe ser considerado 'precursor incógnito de Dadá'. Sobre esta filiación juzgo de interés reproducir la opinión suscrita por Eugenio de Nora; este comentarista de la novelística ramoniana señala cómo "de un punto de partida irracionalista, de negación, de 'tabla rasa' absoluta de toda clase de valores (lo que llamaríamos 'anarquismo literario'), el escritor pasa, como mero espectador indiferente y pasablemente cínico —cínico ante la crueldad y dureza de la existencia simplemente contemplada—, al más declarado y frenético egotismo individualista; y en la defensa atrincherada de esa suprema posición... se reencuentran el irracionalismo y el 'anarquismo' iniciales: pero aquí convertidos ya en coraza y blindaje... No creo que escritor alguno, añade Nora, con independencia del movimiento dadaísta, haya llegado más cerca y mantenido más perseverantemente postulados y actitud tan en la línea de aquella radical marejada de negación de la postguerra. Pero Dadá duró sólo unos años; Ramón lleva escribiendo medio siglo sobre supuestos plenamente dadaístas". A la luz del texto leído se hace patente, y ello resulta ser lo más significativo, el paralelismo, no difícil de explicar desde luego, que evidencian la obra literaria de Ramón y sus personales convicciones ideológicas, que nunca repudió, una vez superada la fugaz aceptación del credo anarquista.

Guillermo de Torre, sin disputa uno de los mejores conocedores de la obra ramoniana, no duda en adscribirle el vanguardismo; quienes hicieron número en esta secta, en España, entre los que era figura preeminente el propio Guillermo de Torre, siempre consideraron como alguien muy cercano a su credo estético a Gómez de la Serna, y de tal convicción dieron testimonio en las revistas del grupo, en *Grecia, Ultra* y *Tableros*: "Ramón Gómez de la Serna, puntualiza nuestro comentarista, puede reivindicar en todo momento, con más motivos que ningún otro de su edad, una indiscutible prioridad vanguardista. Ya que, en rigor, ha sido siempre un hombre de vanguardia, anticipado a su época, disidente e impar, única figura de relieve singular y de aportaciones propias en la promoción de 1908"; "su actitud ante la vida, añade Guillermo de Torre, su manera de reaccionar virgíneamente, con una sensibilidad nueva, ante los paisajes y los hechos, su agudeza perceptiva, su amor a las metáforas, son matices que señalan su tangencialidad con los jóvenes espíritus de vanguardia". Cabe también establecer relación entre la literatura de Ramón y el superrealismo; aludiendo a esta identidad escribe Fernández Suárez: "Ramón tiene el inconfundible olor de época de los años que siguieron inmediatamente a la primera Guerra Mundial, y además, emparenta con las tendencias irracionalistas de la literatura europea de ese período, en particular el superrealismo, aunque no es superrealista". La diferencia existente entre superrealismo y ramonismo se evidencia en el hecho de que mientras el primero utiliza para el proceso de creación los datos del subconsciente, Ramón se sirve de elementos menos profundos, tomados de lo que Fernández Suárez denomina 'plano subideal', situado en la zona, de borrosos límites, de 'semisueño y desatención'; el proceso de asociación 'subideal', típico en el razonar del niño, sería el propio de la greguería.

Ramón ha sido comparado, no obstante el distinto carácter de su quehacer social, con Charlot y Picasso, dos figuras impares y bien representativas, ambas, de la cultura europea de entreguerras. El parecido entre Ramón y Charlot lo han señalado Carmen de Burgos y luego José Bergamín. Para 'Colombine' en la literatura ramoniana es siempre patente un rasgo singularizador que ella prefiere calificar como 'charlotismo'; el charlotismo, explica, "es, quizá, el medio de burlarse de la especie y de todo lo que era insosteniblemente afectado y de rúbrica"; el juicio de Carmen de Burgos, anterior a 1920, será después repetido por Bergamín.

La identidad entre Ramón y Picasso ha sido formulada, con apoyo de bien elaboradas razones, por Guillermo de Torre en un ensayo publicado en 1927, que reelaboró veinte años más tarde para utilizarlo como prólogo al segundo volumen de las *Obras Completas* de Gómez de la Serna. Para Guillermo de Torre, Picasso y Ramón son los dos españoles del siglo con más amplio y mejor reconocido renombre; ambos cultivan un arte que "sin dejar de ser nacional, posee una extensa proyección universal". Tras enumerar algunos de los rasgos que justifican la identificación formulada, añade el comentarista que cito: "Ramón y Picasso son casi infinitos. Han usurpado a la Divinidad uno de sus más inalienables atributos. Y sus obras pueden equipararse a un microcosmos". La semejanza alcanza, incluso, a su estampa física y en otro plano al deseo, manifiesto en uno y otro, de celar sus vidas privadas en un mundo artificioso; ambos poseen, también, "más capacidad creadora que fluidez verbal para teorizar". El paralelismo, arguye Guillermo de Torre, se hace patente en el curso de la labor artística y literaria, respectivamente, cumplida por Picasso y Ramón. La obra de escritor de Gómez de la Serna permite ser fraccionada en las mismas etapas que se señalan en la labor pictórica de Picasso. En ambos, tras una fase 'hermética', que en Ramón corresponde a los años de su colaboración en *Prometeo,* da comienzo la etapa de acercamiento al público (fase 'demótica'); el tránsito lo marca, en la literatura ramoniana, la edición de *El Rastro* (1914), y en Picasso la iniciación de su obra clásica, antigua o ingriana (1915-1917). La identidad torna a manifestarse cuando Picasso se adentra en lo que Guillermo de Torre denomina sus abstracciones y metamorfosis; la nueva etapa en la pintura picassiana coincide con la elaboración por Ramón de sus 'novelas de la nebulosa' (*Rebeca* y *El hombre perdido*). La fiebre inventiva, que nunca cede, el 'inacabable hacer', es rasgo que sobresale tanto en Picasso como en Ramón, y tal impulso les empuja a cambios reiterados en estilo y técnicas, a un constante remozamiento. El arte de Picasso, al igual que la literatura ramoniana, convergen, idéntica meta, en una "sinceridad desrealizadora, colindante con los dominios del absurdo". Guillermo de Torre encuentra aún otro rasgo de semejanza entre ambos españoles universales: "su devoción al Eros femenino: Picasso, como genuino 'homme à femme', siempre con alguna bella mujer a su diestra; Ramón, igualmente apasionado, pero más unilateral y limitado en sus predilecciones, con un sentido moruno de exclusivismo celoso".

Las diferencias entre Ramón y Picasso las descubre Guillermo de Torre sólo en una parcela de sus vidas bien alejada del ámbito artístico y literario, en el plano de las convicciones políticas; la 'diferente sensibilidad para lo social' es, según el comentarista que vengo nombrando, manifiesta: "Mientras el revolucionarismo de Picasso es completo y abarca a la sociedad, el de Ramón, muy imprevistamente, se torna aquí conservadurismo. La diferencia se hizo patente en un trance crucial del país que a ambos les dio a luz"; alude Guillermo de Torre, no se le oculta al lector, a los años de la contienda civil. La actitud que entonces adoptó Ramón no creo pueda calificarse de imprevisible; tras abandonar su primera filiación política, aquella temprana adhesión suya al credo anarquista, Gómez de la Serna, lo sabemos bien, nunca dejó de mostrar su indiferencia por los problemas políticos y sociales; fue siempre escritor no comprometido, consecuente 'torreófilo', y siguió siéndolo incluso cuando tal postura era ya por completo anacrónica. Lo dicho es confirmado por el propio Guillermo de Torre al escribir, aludiendo a esta importante faceta del pensamiento ramoniano: "Su mundo ideal es un mundo en que no pase nada, en que no se produzca la más mínima protesta o disentimiento; de suerte que la atención pública pueda converger libremente sobre su literatura... Ramón defiende el arte por el arte, la libertad superior del escritor, y afirma su absoluta independencia de todo credo político, declarándose un hombre sin partido". Porque este criterio seguía gobernando su conducta, Gómez de la Serna se exiló de España en el verano de 1936 y se mantuvo expatriado hasta su muerte. Una última razón es señalada por Guillermo de Torre para confirmar el parecido entre Picasso y Ramón; es ésta la genialidad que ha de reconocerse en ambos; "aunque debamos ser sobremanera recelosos en atribuir esa condición, opina, Picasso y Ramón son los pocos contemporáneos ante cuyas obras podemos pronunciar sin miedo el adjetivo pavoroso de geniales".

Para varios críticos ha sido motivo de examen valorar la posible relación existente entre la obra ramoniana y la de otros escritores españoles anteriores o coetáneos. No cabe negar el influjo, y decisivo, de 'Silverio Lanza', a quien Ramón visitó hasta su muerte, con regularidad, en su refugio de Getafe, y cuyo particular credo ideológico se hace patente en las obras primerizas de Gómez de la Serna. A juicio de Guillermo de Torre, la obra de Ramón, limpia por completo de semejanzas con la labor literaria de los restantes miembros de su generación, sí muestra rasgos de coincidencia con la realizada por los componentes de la generación del Noventa y Ocho; le distingue de ellos, aclara, el que Ramón "no siente España como problema, sino como espectáculo". Con Gómez de la Serna, opina Angel del Río, "se cierra el ciclo iniciado por la generación del 98 y se entra en el período de los 'ismos' desintegradores, que caracteriza a la literatura llamada de postguerra". Pérez Minik enjuicia como sigue esta supuesta relación entre Ramón y los 'noventayochistas': "Ramón Gómez de la Serna ha sido un escritor próximo a la generación del 98. Pertenece de hecho a su inmediata fecundación tardía. Pero nuestro autor no tuvo nada que ver con aquella herencia. El se situó al otro lado del plano inclinado. El valor disolvente o creador de la citada generación, no lo toma en cuenta..., ni sus posiciones morales, estéticas o históricas. Le es ajeno el camino abierto por Baroja, 'Azorín' o Valle-Inclán. Frente a la austeridad, formas elementales, realismo plástico primitivo, mística profana y sensibilidad impresionista, Ramón sólo significa suntuosidad, derroche de fuerzas imaginativas, barroquismo, oscuridad y hasta un cierto amoralismo vital".

Menos discutible es la relación que se ha señalado entre la obra ramoniana y la realizada por varias grandes figuras de la literatura española de otros períodos; semejanza que se hace más manifiesta según Ramón va recorriendo el ciclo de su personal existir. A ello alude Guillermo de Torre cuando, tras indicar que Ramón 'resulta impar en su tiempo', escribe: "sus verdaderas raíces, su más genuino entronque viene subterráneamente de más atrás, de Quevedo, de Goya y Larra". Una doble línea, literaria la primera, la segunda artística, se dibuja en este pasado del estilo de Ramón; los nombres de Quevedo, Torres Villarroel y Larra, de 'el Greco' y Goya, son de referencia obligada. José Gutiérrez Solana es el coetáneo de Gómez de la Serna con quien éste puede emparejarse, y también a él cabría atribuir idéntico pasado. La semejanza con Quevedo, hecha salvedad de disparidades que se explican por razones puramente históricas, ha sido apuntada por varios críticos de la obra ramoniana; en opinión de Tomás Borrás, Quevedo legó a Ramón "no sólo los ensueños de su arca, sino hasta las extravagancias de su escudero Torres Villarroel"; a juicio de Marichalar, la obra de Ramón, no obstante ser afín y desarrollarse simultáneamente a la de futuristas italianos, expresionistas germanos y cubistas franceses, "se encuentra dentro de la tradición genuinamente española: la tradición de aquel D. Francisco de Quevedo". El humorismo mezclado a gravedad trascendente, característico de la literatura ramoniana, está en la línea, supone Jardiel Poncela, de la comicidad española, que contribuyeron a forjar Lope de Rueda y Quevedo, Gracián, Goya y Larra. Para Torrente Ballester, el barroquismo de Ramón, rasgo de su literatura que luego analizaré, su "riqueza de vocabulario y de fórmulas sintácticas es incomparable dentro de lo contemporáneo, y sólo admite parangón —ya tópico— con la prosa de Quevedo". No obstante, en opinión del comentarista que nombro, esta identidad sería sólo aparencial, pues, añade, "nada... más lejos de lo quevedesco que el arte de Ramón. Lo moral y lo intelectual, en alianza, dan al estilo de Quevedo su matiz peculiar, diferente del ramoniano"; en este último el componente intelectual carece de densidad y el tono moral ofrece cariz muy distinto. Considero acertada la distinción que establece Torrente Ballester, si bien no puede negarse que en las últimas obras de Ramón, y por razones ya expuestas en el anterior capítulo, se hace patente un contenido ideológico y creencial que ayuda no poco a hacer resaltar el carácter quevedesco de la literatura ramoniana.

En la línea Lope de Vega-Quevedo sitúa a Gómez de la Serna Luis Cernuda, y precisamente por esta filiación le atribuye el título de realista, considerándolo "último gran escritor español descendiente en rango e importancia de nuestros clásicos"; lo que Cernuda quiere decir lo explica cuando añade "que el mundo donde su fantasía se mueve es el de la realidad material inmediata, mundo al que además juzga bien hecho tal como está, tanto desde el punto de vista estatal como desde el providencialista; y, aunque lo transforme a su antojo, respeta siempre sus límites establecidos, que van de lo posible a lo monstruoso, pero se detienen ante lo imposible y lo imaginario. Su obra se halla, por tanto, dentro de las fronteras del temperamento literario español". Pedro Salinas apunta a un cierto enlace entre la obra de Ramón y el quehacer social de los juglares; "en la obra de Gómez de la Serna insinuaríamos nosotros, escribe Salinas, la existencia de una actitud que no se sospecha en él, de una actitud popular, juglaresca. Ningún escritor contemporáneo se parece tanto al juglar medieval como Ramón"; es evidente en él, añade el autor que se cita, al igual que en los juglares, "una jocundidad bulliciosa, una afición a darse en espectáculo que rompe la tiesura y rigidez que se suele atribuir al ejercicio grave de lo literario".

Al hablar Pérez Minik, estudiando la literatura ramoniana, de realismo mágico y expresionismo, apunta a una tardía semejanza entre Gómez de la Serna y 'Azorín', quien llegó, es sabido, en su quehacer de escritor a la aceptación de tales criterios estéticos precisamente cuando la obra, ya copiosa, de Ramón alcanza máxima resonancia europea y también nacional. A juicio de Pérez Minik, Ramón, que pudo ser 'nuestro Apollinaire', es el escritor español 'postexpresionista' más representativo; expresionista, se cuida de advertir el comentarista, 'a su manera', dado que "su humorismo siempre lo ha trabajado de manera pasional" y añade: "más que un expresionista, Ramón fue siempre, desde una vertiente formal y ontológica, un realista mágico, un deformador del mundo que busca un lecho donde yacer, tumbado al sol inventado de su ingenuidad y de su humor rosa lúgubre". Hecho el examen de los supuestos o efectivos influjos que pudieron obrar sobre la literatura ramoniana, preciso es destacar como merece la poderosa, indiscutible originalidad de Gómez de la Serna, caso ciertamente ejemplar de escritor aislado y ello no tanto por la relativa ausencia de precedentes en su labor, como por el poco empeño puesto por Ramón en crear escuela, lo que no impidió, desde luego, que su estilo influyera en bastantes de sus coetáneos, por ejemplo en la poesía de su tiempo, como ha intentado demostrar Luis Cernuda, y también en toda una generación de novelistas españoles, cuestión ésta examinada con particular cuidado por Eugenio de Nora.

Por imperativo cronológico, Ramón Gómez de la Serna hace número en una promoción o grupo generacional, el de 1886 según Julián Marías, del que son con él miembros destacados Eduardo Marquina, Villaespesa y Juan Ramón Jiménez, Gabriel Miró y Ramón Pérez de Ayala, Manuel Azaña y Angel Herrera, José Ortega y Gasset y Eugenio d'Ors, Gregorio Marañón, Picasso y José Gutiérrez Solana, Pedro Salinas y Jorge Guillén. Ramón se mantuvo apartado de sus compañeros de generación y tampoco quiso adherirse a los grupos literarios a los que pudo sentirse atraído por afinidades estéticas; conocida es, para citar un único ejemplo, su actitud esquiva ante los ultraístas. El movimiento 'ultraísta', así bautizado por Guillermo de Torre con el beneplácito de Ortega y Gasset, surge en España a la zaga de los más activos 'ismos' franceses, y muestra mayores semejanzas con el 'futurismo' italiano, importado, no se olvide, por Ramón, que con el 'dadaísmo'; el primer manifiesto ultraísta se publica en la revista *Grecia* en 1919. En Madrid el grupo tuvo su sede en el Café Colonial y dio vida a diversas publicaciones periódicas, todas de efímera existencia; la moda del ultraísmo se mantuvo hasta 1922. En sus *Nuevos Retratos Contemporáneos,* al trazar la semblanza de Rafael Cansinos-Assens, hace referencia Ramón a su negativa a enrolarse en el movimiento ultraísta, y al recuerdo añade esta reflexión: "Yo no había querido fundar más que mi propio *ismo,* no queriendo prevalecerme de la posibilidad de reunir gente con la falta de independencia de los que forman un grupo literario. Esa esclavitud de los que se enrolan en una consigna hubiera sido muy valiosa para mí, pero yo quería sólo el talento solitario de cada cual y que prosperase por su cuenta". Ramón es el primero en testificar, y en más de una ocasión, sobre la ausencia de efectivos influjos en su obra de escritor. Dijo ya en su primera autobiografía: "No tengo generación. No soy de ninguna generación. Tanto he luchado solo que tengo que hacer esta declaración". Repite en *Automoribundia:* "yo tuve el impulso misionario, y por esto ignoré antecedentes de las nuevas formas". Gómez de la Serna se considera, y no sin razón, creador de una modalidad literaria nueva, el 'ramonismo'; "lo que yo llamo 'Ramonismo', escribe en el prólogo a su libro *Ismos,* anduvo cruzando sus fuegos con todos los atisbos, y en España mantuve siempre la posición impar en mi tugurio de imparidades". El papel de adelantado, que tanto gustaba a Ramón representar, le induce, como le sucede a Picasso, a abandonar las posiciones que conquistó cuando éstas comienzan a ser propiedad comunal; así Ramón, que durante algún tiempo se denominó vanguardista, a partir de cierta fecha se titulará porvenirista.

Confirmaré el testimonio de Gómez de la Serna con las declaraciones de varios comentaristas suyos. El primero en opinar es 'Azorín', para quien Ramón debe ser considerado aisladamente, pues posee, dice, 'vida espiritual propia'; Ramón, añade, "lo llena casi todo... en su grupo", él solo compone "toda una época". Muy semejante es el criterio de José Bergamín, expuesto en el siguiente texto, de original factura, que no resisto a la tentación de transcribirlo en su integridad: "Ramón, solo como una aurora, levanta el gallo de su voz en disparatada greguería, borracho de todos los amaneceres. Ramón, solo, en el alba, se levanta pesadamente, cargado de sí mismo —y cargado con todo— para dispararse, por todo, y contra todo, disparatado. Ramón se ha levantado solo sobre las auroras boreales de sus circos, encima del trapecio o del elefante. Solo en el griterío de su voz, dominante, sobre la cornisa de la ciudad en vilo, pendiente sólo de él, subido en la plataforma bulliciosa del auto-car, intérprete del mundo...; Ramón, incongruente, solo como un monstruo gigantesco, con el solo ojo enorme de su frente abierto como un faro. Y el gran abanico negro de su onda, pasa y pasa ante el foco luminoso para proyectar fuera la dinámica impulsividad figurativa de los sueños". Escribe Pedro Salinas de Ramón: "desde el primer día se marcó ya su acento inconfundible, su personalidad tan discutida ayer como hoy, pero lo mismo de firme ayer que hoy. Ramón es un caso aislado en nuestras letras, es uno de esos casos de escritores 'adánicos', conforme a la significación que da a esta palabra Ortega y Gasset", y añade Salinas: "Ramón se alza él solo, envuelto en sus caprichos y genialidades de temperamento, con inequívoca silueta. No depende inmediatamente de ninguna obra anterior; no crea una tendencia literaria en pos suyo, aunque su influencia difusa haya sido muy grande". La obra de Ramón es, ante todo, expresión literaria de su intimidad, y por serlo resulta acertado titularla, según he dicho, 'ramonismo'.

Reproduciré ahora, para concluir el análisis de la literatura ramoniana, la opinión sobre Gómez de la Serna suscrita por quienes con mayor rigor han examinado su obra; aludo a Torrente Ballester, Pérez Minik y Eugenio de Nora. Para el primero de los nombrados, Ramón es socialmente un caso de escritor puro, en lo literario un caso de escritor excesivo, y siempre "un literato, verdadero Midas, que todo lo que pasa por sus manos se convierte en materia literaria"; 'personaje singular', lo considera Torrente como representante tardío de la moda decimonónica: "Si Ramón literaliza, no sólo sigue una gloriosa tradición de singularidad, sino que hace lo único que puede hacer, lo que constituye su fatalidad...; al no existir en Ramón una motivación social, su personalidad literaria, su *máscara*, carece de elementos agresivos o simplemente polémicos, tanto en el aspecto como en la conducta. Pero no consiste en esto su peculiaridad. Los hombres del 98, y sus antecesores, dandyes, bohemios o entreverados, partían del egotismo o llegaban a él; Ramón, a pesar de su fuerte, insobornable individualidad, no es egoísta en absoluto. Se debe a su especial concepción del mundo, a su profunda relación con *las cosas*. Quizá sea exagerar si afirmamos que Ramón, culturalmente, pertenece a ese movimiento de *vuelta a los objetos* que caracterizó ciertas escuelas filosóficas después de Brentano".

En opinión de Domingo Pérez Minik, "buscarle anteceden-

28. "EL VENTANAL". *Estoril*

29. RAMÓN Y LUISA SOFOVICH

tes es una tarea muy difícil, porque en todo momento fue el creador valioso de sí mismo. Pertenece históricamente al grupo de escritores surgidos en 1908 *, heterogénico, ecléctico e impreciso. El es un personaje que entra en esa generación casualmente, pero que vuelve a salir por la primera puerta, lanzándose a la calle con paso apresurado. No realiza ningún contacto con los escritores ofensivos de aquel tiempo, ni con los ya consagrados, portadores de importantes mensajes. Más tarde, en una segunda escapada hacia un núcleo social artístico más denso, entra con donaire, en la hora de la trasguerra, en el movimiento ultraísta, de tanta resonancia en nuestra historia literaria. Entra también aquí, pero se escapa otra vez por una de esas puertas abiertas al campo, sin ningún rasguño que mostrar en el cuerpo. Por último, en la ofensiva general de 1925, a todo lo largo de nuestras líneas líricas y fronteras del ensayo, sobre una nueva actitud estética y metafísica ante el mundo, Ramón se alista un poco a regañadientes, presta su colaboración dilatada en revistas y cafés, se siente un poco hermano mayor y crea una cátedra, más o menos callejera, con público seguro. Nuestro autor, de todas maneras, en estos tres momentos, es nuestro Charles Chaplin, el hombre permanentemente salvado, hasta nuevo aviso".

Testimonio final de los prometidos es el de Eugenio de Nora, el mejor conocedor, hasta el presente, de la obra novelesca ramoniana. En su dictamen recuerda Nora el calificativo de 'generación unipersonal' que acuñó al parecer Fernández Almagro para usarlo con Ramón, y tras aceptarlo añade: "lo decisivo en esa casi paradójica frase es que, en efecto, al estudiar, al hojear simplemente la obra de Gómez de la Serna, se tiene la impresión de estar ante un grupo nutrido de escritores, ante un 'estilo ge-

---

* La generación que Julián Marías titula de 1886.

9

neracional' ramificado en los diversos estilos literarios y matiza-
do en las varias personalidades de sus cultivadores. Con excepción de la poesía... han salido de las manos de Ramón (armado,
se ha dicho, de una estilográfica en cada dedo) toda clase de
libros: reflexiones, apuntes, 'teatro en soledad' y teatro repre-
sentable, 'greguerías' nucleares, 'efigies' literarias y biografías
sugerentes y caprichosas, crónicas más o menos periodísticas, inusitadas —y penetrantes— obras de crítica pictórica, artículos y
ensayos (incluso con ciertas pretensiones ideológicas), otros libros inclasificables y, en fin, novelas: una casi abrumadora can-
tidad de novelas cortas y largas". No puedo evitar el sumar a
esta cita, ya algo extensa, otra más dilatada aún, pero que considero de lectura obligada; a lo dicho añade Eugenio de Nora
esta reflexión valorativa: "la aportación esencial de Ramón en
modo alguno puede definirse por su temática, ni por las adhe-
rencias que —en desgarro, en aglomeración chillona, en cierto
aire achulado y desafiante— pudieran proceder de su madrileñismo. Ramón es, antes que nada, *un modo de escribir,* una
fuerza de creación lingüística excepcional: una prosa abundan-
tísima, personalísima, en continuo brotar, impregnadora, reiterativa, bullente, cuajada de expoliciones imaginativas, e incon-
tenible como una inundación que anega y engulle cuanto se le
presenta. Prosa, pues, de un barroquismo delirante, exasperado
y, con frecuencia, de una chabacana aunque garbosa imperfec-
ción literaria. ¿Y el 'fondo'? Imaginemos un Quevedo sin ideas,
sin moral, sin propósito, un Quevedo 'puro literato', filtrado
por el decadentismo francés, y puesto frente a una realidad, más
que decadente, andrajosa y triturada, que, sin embargo, 'no siente a España como problema, sino como espectáculo': ése es el
Ramón escritor".

Sin negar originalidad a la obra literaria de Gómez de la

Serna, preciso es no olvidar que ella representa, en España, el más caracterizado exponente de orientaciones estéticas difundidas en Europa durante los años de entreguerras; en otras palabras, y como no podía dejar de suceder, la literatura ramoniana aparece íntimamente ligada a la circunstancia temporal dentro de la que fue creada; algunos de los más singularizadores rasgos de la obra de Ramón encuentran en ello explicación, y entre todos el primero su carácter deshumanizado. Se me permitirá citar unos testimonios que lo acreditan. Ortega y Gasset, en el ensayo 'La deshumanización del arte e ideas sobre la novela' hace la única referencia que de él conozco a la obra de Ramón en el siguiente párrafo alusivo al problema de la deshumanización en el arte: "desde el punto de vista humano tienen las cosas un orden, una jerarquía determinados... Para satisfacer el ansia de deshumanizar no es... forzoso alterar las formas primarias de las cosas. Basta con invertir la jerarquía y hacer un arte donde aparezcan en primer plano, destacados con aire monumental, los mínimos sucesos de la vida"; si donde dice 'sucesos de la vida' dijese 'las cosas' el texto orteguiano encontraría su mejor testigo en la literatura ramoniana. Añade, a lo leído, Ortega: "Este es el nexo latente que une las maneras de arte nuevo en apariencia más distantes. Un mismo instinto de fuga y evasión de lo real se satisface en el suprarrealismo de la metáfora y en lo que cabe llamar infrarrealismo. A la ascensión puede sustituirse una inmersión bajo el nivel de la perspectiva natural. Los mejores ejemplos de cómo por extremar el realismo se le supera —no más que con atender lupa en mano a lo microscópico de la vida— son Proust, Ramón de la Serna, Joyce". Esta referencia final de Ortega y Gasset, hecha en 1925, cuando su autoridad en lo cultural es aceptada por todos, viene a respaldar el renombre que la obra ramoniana ya entonces había conquistado en París, lo que quiere decir en toda Europa.

Lo expuesto por Ortega lo reitera Benjamín Jarnés cuando escribe: "Pupila impasible la de Ramón. Despiadada, serena, quizá demasiado inatacable por los ácidos de todo eso que un filósofo llamaría el *no yo*. Pupila de espectador, no del que se sienta en medio de la calle, aunque evite el roce de la calle. Ya antes de que el arte fuere 'deshumanizado' Ramón lo había hecho pedazos —implacablemente— en la clínica silenciosa de su torreón... En la prosa de Ramón, concluye Jarnés, se ha torcido el cuello a la elocuencia, y a la música se le han cortado las alas". Un crítico autorizado, Angel del Río, dice refiriéndose a lo que ahora importa destacar en la literatura ramoniana: "En su visión del mundo, en su ideología y estética se rompe completamente el sentido de unidad y se llega a la máxima atomización. La literatura pasa a ser el arte de recoger impresiones, sensaciones, gestos, retazos de ideas, no de una manera directa o sensorial como en el impresionismo, sino a través de una especie de nuevo nominalismo estético que se complace en el juego de recrear el mundo exterior en forma arbitraria. Todo aparece así desconectado, fragmentario, sin principio ni fin, descompuesto en una serie ininterrumpida de momentos". Como vehículo de expresión adecuado a esta manera de interpretar la realidad, Ramón crea la greguería; de greguerías se compone, es lo cierto, su obra entera, cualquiera que sea el género literario al que, siempre de modo arbitrario, se incorporen cada uno de sus libros; como antes dije, el total de sus escritos podría rotularse 'Ramonismo'.

Para completar el examen que ahora efectúo de la literatura ramoniana resta sólo hacer mención de otros dos rasgos de ella cuyo análisis he preferido diferir hasta este momento. Me refiero al humorismo que constituye ingrediente obligado en su visión de la realidad y al barroquismo de su estilo.

Explicando su credo estético, en un ensayo de aleccionadora lectura titulado 'Las palabras y lo indecible', hace Ramón unas afirmaciones que es preciso conocer. "Hay que hacer desvariar eso que se llama lengua vernácula", opina, "la superposición lograda que es el lenguaje merece una disgregación que abra luces en su compacta materia", y ello se consigue, según había expuesto en ocasión anterior, utilizando la greguería. Cometido del nuevo lenguaje es ofrecer una distinta imagen de la realidad, que Ramón define como 'el punto de vista de la esponja', el cual no es otro, aclara, que "la visión varia, neutralizada, sin predilecciones, multiplicada...; el punto de vista de la esponja, añade —de la esponja hundida en lo subconsciente y avizadora desde su submarinidad—, trastorna todas las secuencias y consecuencias, desvaría la realidad, se distrae en lo despreocupado, crea la fijeza en lo arbitrario, deja suponer lo indesmentible". Que esto significa romper con la más inmediata y todavía vigente tradición literaria lo reconoce el propio Ramón al escribir: "Ya que no pueden morir las lenguas tienen que morir las literaturas". Nuevas precisiones sobre lo que ya queda suficientemente elaborado en el ensayo nombrado, las ofrece Gómez de la Serna en su biografía de Edgar Poe. El escritor, dice aquí, ha de lograr combinar en la obra dos ingredientes que define como 'lo grotesco' y 'lo arabesco'; "lo terriblemente artístico, explica, lo que enloquece y atormenta al verdadero artista, es la dosificación al mixturar los dos elementos, lo grotesco descarnado y lo arabesco adornístico... El secreto del arte es esa transmutación de venenos contradictorios en un aroma y en una visión". Dicho con más claros términos: ha de hacerse posible la coexistencia

del núcleo humorístico —lo grotesco— y la cobertura barroca
—lo arabesco.

El barroquismo como fórmula estilística ha sido reitera-
mente ensalzado por Ramón; en 1928, y en el texto de su primera aproximación a Goya, que publicó la *Revista de Occidente,* escribe: "El barroquismo es querer más de lo que se puede
querer y ponerse a realizarlo sin haber acabado de hallar el camino y la manera, con ceguera genial y con deseo temerario. /
Quizá no haya manera de realizar la creación vital de los dioses;
pero si de algún modo se puede ensayar, es con la barroquidad
más que con la perfección ortodoxa. / Lo barroco es el único
concepto que merece el respeto de dejarlo indefinido y con sa-
lidas por todos lados. / ¿Que el intento de barroquismo deshace
las formas y entreabre los estilos? Pues nada mejor. Esa poro-
sidad es ideal. Ese superbalbuceo es sorprendente. / De ningún
modo es decadencia lo barroco, sino deseo de más perfección al
saltar los límites de la perfección académica o puramente perfecta. El intento mayor que puede intentarse es lo barroco, y una
y cien veces a través de los siglos se ha incurrido en él para ver
de salir del impasse de la desesperación." Cualquier fragmento
de los escritos de Ramón, elegido al azar, serviría para confirmar,
con su ejemplo, de qué modo fue este autor fiel a sus convicciones literarias; incluso los escenarios que gustó siempre edificar
para poner marco a su vida privada, delirante acumulación de
extraños y dispares objetos, testifican a favor de lo que digo. La
más importante defensa del barroquismo, de las varias que urdió
Gómez de la Serna, figura en su ensayo 'Lo cursi'; en él, refiriéndose al tema que examino, sostiene: "No es lo barroco, como
se ha dicho, un dualismo entre realismo e idealismo, sino el abra-
zo de las dos cosas, la amparadora inmersión en los dos conceptos,

el plasmar en el adornismo de fuera la vida y el ideal. Como lo humorístico es una plasmación de sentimientos antitéticos, el barroquismo vive de esa antítesis, aunque más seriamente".

Barroquismo en su forma, humorismo en la intención; en esta sencilla fórmula, no olvidando los peligros que entraña toda simplificación, podría condensarse un juicio bastante aproximado de la literatura ramoniana. Se ha hablado de su barroquismo; completaré lo expuesto refiriéndome ahora al humorismo de Ramón. Oigamos, en primer lugar, su propio testimonio. No son escasos en número ni imprecisos por su contenido los que podría exhumar. Entre los más definitivos figura uno, que tomo de su primera autobiografía, donde explica su humorismo como arma propicia para "combatir las vanidades personales, las infatuaciones, los tópicos, que sobre eso se sostiene... y de eso se aprovecha todo lo que es tiranía y oscurantismo". En fecha posterior, y en el ensayo 'Lo cursi', Ramón define así su humorismo: "Humorismo es atreverse a desentrañar el sentido impensado de las cosas, su sentido más improbable", significa ofrecer una imagen inesperada de la realidad. Torna a teorizar sobre su interpretación del humorismo en *Automoribundia*; aquí, tras definirse como 'humorista macabrero', escribe: "Mi humorismo es un humorismo que descansa sobre las cosas o que convierte a las personas en cosas, humorismo en que me he refugiado al ver que los seres son máquinas de ambición y traición y las cosas son lo único bueno de la vida." De este último texto conviene destacar la alusión que en él hace a los motivos que contribuyeron a hacer de él un humorista; el humorismo de Ramón se nutre en una previa concepción pesimista de la vida comunitaria, inspirada a su vez, estoy seguro de ello, por las enseñanzas que recibió de 'Silverio Lanza'.

La más amplia, y desde luego la mejor elaborada reflexión ramoniana sobre el humorismo, figura en el ensayo 'Humorismo', que Ramón incluyó en su libro *Ismos* tras haberlo dado a conocer en *Revista de Occidente*. "La actitud más cierta ante la efimeridad de la vida es el humor", afirma en él. Aquí Gómez de la Serna atribuye a la sonrisa significado trascendente, hondura; el humorismo, añade, "más que un género literario es una manera de comportarse", afirmación ésta de cuya certeza responde la interpretación hispánica del humorismo, en cuya línea se sitúa el humor ramoniano. "El humorismo español, escribe Gómez de la Serna, está dedicado a pasar el trago de la muerte, y de paso a atravesar mejor el trago de la vida. No es para hacer gracias, ni es un juego de enredos. Es para transitar entre el hambre y la desgracia." El humorista, concluye, "se puede decir que adivina el final del mundo y obra ya un poco de acuerdo con la incongruencia final".

Examinados los rasgos que mejor y más acusadamente singularizan la obra literaria de Gómez de la Serna, es ocasión propicia para conocer la opinión que de la misma, enjuiciada en su conjunto, han emitido sus más caracterizados críticos y en primer lugar la formulada por el propio autor.

En el prólogo, fechado en 1956, que escribió para encabezar la antología de sus obras publicada por la Editorial Gredos, nos dice Ramón: "Yo he intentado, he querido intentar, una cualidad superior de realidad y de identidad... Yo renové la literatura y la novela." Anteriores a esta valoración de su quehacer son estos otros juicios; el primero de ellos, que figura en *Automoribundia*, es como sigue: "Mi obra tengo que declarar que es inexistente. He tenido que escribir demasiados artículos para vivir y, por tanto, lo que ha salido entremedias no sé lo que es y no puedo responsabilizarme de ello. Entremedias de esa ímproba labor para ser independiente, sonriente y sin obligaciones políticas de intriga, he escrito y conglomerado numerosas obras literarias; pero siempre medio sonámbulo y salido del mundo." Añade a esta suerte de justificación tardía, en otro lugar de la obra que cito: "Mi conciencia artística está tranquila, y al repasar las páginas de mi obra noto que he dado a todo un fondo de verdad y sinceridad que no admite turbación y arrepentimiento." Años después, en una de sus 'cartas a sí mismo', repite Ramón: "mi obra no es la que yo hubiera querido escribir, metiéndome más en los laberintos del alma para salir a los laberintos de la vida y acabar en los laberintos del cielo... Toda la fantasía, la audacia creativa, la posibilidad de decir están en mi mano —han estado en mi mano como una transmisión del más allá al más acá— y casi no he podido decir nada de la gran perdición en que vive el hombre, el hombre perdido desde que apareció en el mundo hasta nuestros días y hasta el último día de los días".

Tras el autojuicio, la opinión de la crítica, representada en un seleccionado y, por tanto, reducido número de comentaristas de la obra ramoniana. Los primeros testimonios están suscritos por dos escritores amigos de Ramón en años de juventud: Emiliano Ramírez-Angel y Juan Ramón Jiménez. Para el primero de los nombrados, y en fecha muy temprana, Gómez de la Serna es ya un 'hombre genial', "independiente, íntegro, complejo", autor de una obra, entonces aún en formación, que se atreve a augurar "no derribarán nunca los afanes, intrigas, desorientaciones, mercantilismos y chacotas". Juan Ramón Jiménez, puesto a componer el retrato de Ramón, en 1928, nos da la siguiente estampa del escritor: "Estalla su incesante mortero de fiesta, no con pólvora sola de salva o traca, con bala de paz, semilla mayor a tranquilos campos cereales. Una estilográfica muy gorda, de carga roja, sangre, fuente continua, al brazo como un bastón, pariente de su corbata con damero. Si a veces Ramón no es preciso, a lo exacto, en su puntería, es porque lo descentra su propia colorada embriaguez. Y va y viene, de libro a café, de teatro a periódico, de tren a circo, desperdiciando a derecha e izquierda, minero contento de las inagotables galerías de la imagen directa natural, la rica pirita de su dentro de maleta nebulosa, caótico panal cuadrado y redondo a un tiempo." A estos dos testimonios cabe añadir el de Alfonso Reyes, otra antigua amistad de Ramón, para quien Gómez de la Serna no es escritor, si al vocablo sigue confiriéndosele el significado que es habitual atribuirle; falta al quehacer literario de Ramón, opina Reyes, 'urdimbre y cohesión', lo cual hace que "sus obras perfectas no duren más allá de las siete líneas. La línea número ocho es el punto crítico de disgregación", y añade: "Todo él es instinto —entiéndolo sin necedades retóricas—. Sus incursiones en la cultura son volubles y personales, porque tiene lo mejor: el ritmo de la mayor cultura. No explica nunca una idea, sino que la padece, se acalambra debajo de ella y deja —de su tortura— una huella sobre el papel."

Y para concluir mencionaré el juicio emitido por Pérez Minik. Este comentarista, tras recordar cómo fue Ramón Gómez de la Serna, durante una época, el español con mejor labrado renombre en el mundo cultural europeo, figurando entre los descubridores de modalidades estéticas nuevas, dice de él: "ha estado siempre en presencia de toda nuestra historia literaria, tan agitada y tan distinta en lo que va de siglo. En todo momento se nos ha aparecido joven e innovador, graciosamente, y sin participar de verdad en la juventud e innovación de los que llegan. De nuestros grandes escritores de este siglo, él se aparta insolidariamente y por él no pasan las estaciones ni las mudas".

SEGUNDA PARTE

LA OBRA

CAPITULO V

PRIMERAS OBRAS

Conoce el lector lo que era preciso rememorar sobre la vida de Ramón Gómez de la Serna y su personalidad de escritor; sabe ya cuáles fueron las convicciones ideológicas que gobernaron su existencia y ha leído también las opiniones que de su labor literaria formularon sus mejores críticos y antes que ellos el propio Ramón. En la Segunda Parte de este retrato de Gómez de la Serna me ocuparé de analizar su labor de escritor; he considerado conveniente, para un mejor cumplimiento de tal contenido, ordena su copiosa obra en cuatro grupos; incluye el primero los más tempranos frutos de su quehacer literario, el segundo reúne los libros que cabe rotular con el título genérico de 'ramonismo', el grupo tercero lo componen sus novelas y el cuarto, por último, sus biografías, diversos trabajos de crítica literaria, los textos estrictamente autobiográficos y con ellos un corto número de obras de no fácil catalogación.

Siendo todavía un niño empezó ya a manifestarse en Gómez de la Serna su vocación literaria; cuando cursaba estudios del bachillerato en el Colegio de los Escolapios de Madrid, redacta, con la colaboración esporádica de sus condiscípulos Ramos de Castro y Pérez de Diego, un periódico, *El Postal* lo bautizó, del que hace una tirada de veinticinco ejemplares; "aunque alguna vez ayudó la gelatina, relata Ramón en *Automoribundia,* generalmente escribía veinticinco veces el texto y dibujaba y coloreaba veinticinco veces las muchas ilustraciones —alguna a doble página— que llevaba". Su hermano Julio recordando esta inicial aventura periodística de Ramón nos dice que *El Postal,* subtitulado 'Revista defensora de Derechos estudiantiles', apareció, mientras tuvo vida, semanalmente, siendo sus tarifas de suscripción de cincuenta céntimos para los abonados de Madrid y de sesenta y cinco para los residentes en provincias; *El Postal* consiguió incluso insertar en sus páginas algunos anuncios, entre ellos el de un restaurante, 'La Gloriosa', de la calle de Alcalá. Su verdadera iniciación en el periodismo dio comienzo poco después, cuando, aún adolescente, consigue ver publicados artículos suyos en los diarios de provincia *La Región Extremeña* y *El Adelantado de Segovia;* tales colaboraciones suscitaron una indignada repulsa de su tía abuela doña Carolina Coronado, residente entonces en Lisboa. Por aquellos años mantiene relación con Andrés González-Blanco y Emiliano Ramírez-Angel, Javier Valcarce y Hernández Luquero, aprendices de escritor como él y que luego Ramón incorporaría a la redacción de la revista *Prometeo.* A este incipiente quehacer periodístico suma Gómez de la Serna sus primeras experiencias como conferenciante; en el Centro recreativo de los bomberos de Madrid diserta sobre Ibsen y es también asidua su asistencia a las polémicas literarias que tienen lugar cada domingo en una sociedad titulada 'Ciencia, Literatura y Arte'. Por las mismas fechas, según testimonio de su hermano Julio, Ramón escribe su primer relato, *La novela de la calle del Arbol* se titulaba, cuya trama se desarrolla en el mismo despacho donde fue dando vida a la narración.

La pasión literaria de Ramón hizo prosélitos; figuran entre los primeros sus hermanos, a quienes dio a conocer entre otras lecturas las novelas de Conan Doyle. El ámbito de sus amistades literarias se amplía al ingresar en el Ateneo, de cuya biblioteca se hizo visitante cotidiano; recordándolo dirá en *Au-*

30. CONFERENCIA EN EL CÍRCULO ESPAÑOL. *Santiago de Chile*

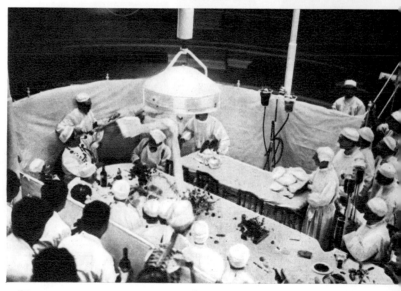

31. BANQUETE DADO A RAMÓN POR UN GRUPO DE CIRUJANOS.

Santiago de Chile

32. RAMÓN EN SU FAMOSA "REBOT

33. EN SU CASA DE BUENOS AIRES

AUTORRETRATO. *Buenos Aires.*

34.   UN RINCÓN DEL "TORREÓN".

Buenos Aires

36-37.   RAMÓN Y SU ESPOSA EN MADRID. *1948*

tomoribundia: "Yo vivía en mi pupitre y entre muchos libros, sintiendo el préstamo que es la vida." Mucho influyeron en él sus periódicas visitas a 'Silverio Lanza', el solitario vecino de Getafe. Resumiendo sus opiniones de entonces, ha escrito Ramón en la confesión general de sus Memorias: "Teorizar y escribir en la independencia fue el ideal querido de aquellos años y ser en medio de todo eso un hombre de honor al que no se atreviese a proponerle nadie nada indecoroso". Anhelando singularizarse, deseo éste muy propio de la edad que vive, adereza su figura; "me volví, cuenta Ramón, un monomaníaco literario, me compré una bufanda y un monóculo y me lancé al Madrid del atardecer, ya sin ideales políticos, ya sólo con el sediento ideal del arte, tan confuso que sólo era un sonambulismo absorto"; a Prudencio Iglesias, que entonces le conoció, se le antojaba aquel Ramón "un Beethoven joven caminando contra el viento y la huida". Publica Ramón su primer libro en 1904; se titula *Entrando en fuego. Santas inquietudes de un colegial*, y de él no queda, al parecer, ni un solo ejemplar. Se sabe, eso sí, estaba compuesto con los artículos que publicó en *El Adelantado de Segovia*; el director del diario, acaso para corresponder con ello a su colaboración, se prestó a reunir aquellos escritos en volumen. La edición entera le llegó a Ramón la víspera de Navidad; los intentos que realiza para conseguir aceptasen ejemplares de su obra los libreros de Madrid, terminan, fácil es comprenderlo, en un total fracaso. Enjuiciando el libro, casi veinte años después, escribe su autor: "es una obrita balbuciente, ofuscada aún por la primera sangre que es fuente suelta y desvariada de los ojos a los dieciséis años". El comentario que su camarada de estudios y luego de empeños literarios, Ricardo Baeza, hizo del libro a la hora de publicarse es contundente y gráfico: "*Entrando en fuego...* y salir escaldado."

Pasarán cuatro años antes de que Ramón reincida en el propósito de ver perennizados en el cuerpo de un libro sus prosas primerizas. En 1908 Gómez de la Serna edita, por su cuenta, *Morbideces,* volumen de algo más de doscientas páginas, en octavo, compuesto en la imprenta madrileña 'El Trabajo'. La obra suscitó cierto interés, llegando a ofrecérsele a Ramón un banquete al que asistieron, entre otros, Ciges Aparicio, entonces director de el 'Cuento Semanal', Gómez-Hidalgo, Julio-Antonio y Eugenio Noel. *Morbideces,* que lleva por lema esta frase de Teófilo Gautier: 'Nada importa nada', se encabeza con un prólogo en el que Ramón, impersonalizando la estampa para mejor confesarse, desnuda ante el lector su intimidad. De las dos partes que componen la obra, la primera es el texto de esta peregrinación por su mundo interior, documento de innegable valor autobiográfico. La parte segunda agrupa cinco relatos, escritos bajo el influjo del decadentismo modernista, que se titulan 'El ciego y la hetaira', 'El apestado (Doctrina moral)', 'La doncella', 'La muerte del lunático' y 'La caja de Pandora'; los cuatro primeros van dedicados, respectivamente, a Leocadio Martín Ruiz, Francisco Gómez-Hidalgo, Nicasio Hernández Luquero y José Quilis Pastor; por sus argumentos, donde se mezcla, en varia proporción, el misticismo y un erotismo intelectualizado, estas narraciones muestran evidente relación con la obra teatral de Ramón, algo posterior y de la que luego hablaré.

Con este bagaje, dos libros y unas docenas de artículos, Gómez de la Serna inicia un período de intensa actividad al servicio de *Prometeo,* revista fundada por su padre para favorecer sus intereses políticos y que en su aspecto literario queda por entero en manos de Ramón. *Prometeo* se publicó en nutridos fascículos mensuales desde noviembre de 1908 a la primavera de 1912. La contribución personal de Ramón a la revista fue muy copiosa; comprende artículos de crítica literaria y artística, ensayos sobre temas sociales, obras de dilatado texto y la casi totalidad de su producción dramática; algunas colaboraciones aparecieron sin firma y otras con el seudónimo de 'Tristán'. A *Prometeo* lleva Ramón sus amistades literarias y en primer lugar a Carmen de Burgos; en la revista publicaron con cierta asiduidad Rafael Cansinos-Assens, Ramón Goy de Silva y Hoyos y Vinent; Juan Ramón Jiménez; Manuel Abril, Luis Antón del Olmet y Joaquín Belda; José Francés y Federico García Sanchíz; Gómez-Hidalgo y los hermanos Andrés y Edmundo González-Blanco; Emiliano Ramírez-Angel y Leocadio Martín Ruiz; Gabriel Miró, Eugenio Noel, Cipriano Rivas Cherif y Francisco Villaespesa; 'Silverio Lanza', el doctor Farreras y Luis Ruiz-Contreras. En *Prometeo* fue siempre importante la contribución de autores extranjeros, de preferencia francesa, en traducciones hechas, en su mayoría, por Ricardo Baeza.

Cada número de la revista se compone de un artículo político, firmado por el fundador de la publicación o por Angel Laguna, varias composiciones poéticas, algún ensayo o artículo largo, relatos o novelas breves, y como parte fundamental, cuando menos por su extensión, la colaboración especial de Ramón, con frecuencia sin paginar para transformar luego con menos costo aquellos trabajos en volúmenes independientes; así editó Gómez de la Serna los ensayos *El concepto de la nueva literatura* y *Mis siete palabras,* la obra *El Libro Mudo* y sus piezas teatrales. En *Prometeo* se conservan los dos únicos textos poéticos de Ramón de que se tiene noticia; se titulan 'Post-scriptum', dedicado a Miguel Pelayo, y 'Nieve tardía', ofrecido a Juan Ramón Jiménez; ambos se publicaron en el número catorce de la revista, correspondiente al año 1910. A la primera poesía pertenecen estas estrofas:

> *Mi prosa es un fracaso de canciones*
> *que en ciernes sumergió mi sesudez...*
> *Aguafortista en esto de escribir*
> *trabajo con sombría lobreguez.*
> *Sin trascender hasta oírtelo decir,*
> *ácido amigo y técnico poeta,*
> *que no logró mi fiero lunatismo*
> *—¡tan lírico!— la transcripción completa*
> *de ese verso que en todos es el mismo.*

Julio Gómez de la Serna, juzgando la labor de Ramón en la revista, ha hecho este certero comentario: "En *Prometeo*... consolidó su personalidad, escribiendo profusamente críticas y ensayos, dramas, futuros libros y sus primeras greguerías, que publicó al final de su libro *Tapices*", y añade: "yo aconsejo a quien le interese estudiar la obra de mi hermano que busque y lea esas páginas de *Prometeo* que marcan, en mi opinión, todas las transiciones arrebatadas, todo el substrato del pensamiento y del estilo de Ramón, la base de su futura y actual personalidad". Durante los años en que actúa como director y principal colaborador de *Prometeo*, Ramón publica *Sur del Renacimiento escultórico español*, folleto de pocas páginas editado en 1910, los ensayos, asimismo breves, *El concepto de la nueva literatura* y *Mis siete palabras*, ya mencionados, y dos obras de mayor empeño: *El Libro Mudo* y *Tapices*.

   El Concepto de la nueva Literatura es el texto de la memoria expuesta por Ramón a la Sección de Literatura del Ateneo en su condición de secretario de la misma; el acto de su lectura, celebrado bajo la presidencia de Dubois, suscitó una acalorada disputa; de cuantos le escucharon sólo el doctor Pedro Farreras, amigo de 'Silverio Lanza', se atrevió a defender las opiniones de Ramón. *Mis siete palabras,* ensayo publicado en *Prometeo,* en 1910, constituye, como *Morbideces* y *El Libro Mudo,* una declaración de los principios ideológicos mantenidos por Gómez de la Serna en aquellos años, cuando se esforzaba en completar su aprendizaje de escritor; su actitud rebelde, casi nihilista, se explaya en una dura crítica social cuyo núcleo queda formalmente enunciado al declarar su deseo de romper lo que califica de máxima traba para hacer realidad el ideal de vida que propugna. El robinsonismo ramoniano, siempre relativo, su decidida postura antisocial que ya nunca abandonará, le induce a suponer que en el vivir comunitario todo, incluidos los más extremosos radicalismos, se halla 'domesticado', el calificativo es suyo, por obra del instinto gregario; las muchedumbres, añade, aun las 'más subversivas', son 'opiófagas'; para el individuo, la comunidad en que hace número sirve sólo de 'enrejado' que lo aprisiona, hasta anularlo, en una espesa red de convencionalismos, convicciones políticas, criterios ideológicos e imposiciones morales. *Mis siete palabras* mereció de 'Silverio Lanza' un incondicional y desmesurado elogio que Ramón se apresuró a publicar en *Prometeo* con el título 'Extracto del Evangelio de Ramón Gómez de la Serna'.

Más importancia que los ensayos citados posee *El Libro Mudo. Secretos,* publicado en 1910, en los números dieciséis a veintitrés de *Prometeo.* Obra voluminosa, con más de trescientas páginas, *El Libro Mudo* es una dilatada confesión que su autor dedica a 'Silverio Lanza' y encabeza con un prólogo firmado con el seudónimo de 'Tristán'. El cuerpo del libro lo compone un continuado soliloquio no fragmentado en partes ni capítulos; el tema del mismo es una reiteración de lo expuesto ya en *Morbide-*

ces y luego en sus 'Siete palabras'. *El Libro Mudo,* dice de él
Ramón, "es un libro de mí para mí"; "está hecho, añade, de
confusas sensaciones, de vida que se realiza y no halla"; el tono
lírico de tales confidencias se corresponde bien con el subjetivis-
mo marcado de la ideología que defiende. De *El Libro Mudo,*
en la fecha de su aparición, formuló Juan Ramón Jiménez, pu-
blicándose naturalmente en *Prometeo,* el siguiente juicio, bajo
forma de carta al autor: "Algo absurdo, delirante y desconten-
tadizo hay en las creaciones de usted. Son como un crepúsculo
subterráneo, o visto desde una cárcel, algo de luz sombría que
surgiera de pronto a la luz abierta, en una aspiración inextinguible. Ibsen y Maeterlinck hicieron esto". Guillermo de Torre
concibe *El Libro Mudo* como "hecho de miradas y reflexiones,
con lejanos resplandores nietzscheanos, donde lo sensible y lo
reflexivo llegan por momentos a encontrar cierto equilibrio".
Desde luego, descontado su interés autobiográfico, éste muy subido, la obra carece de valor literario.

En 1913, con el título *Tapices,* Ramón Gómez de la Serna
reúne en volumen varios trabajos antes publicados en *Prometeo*;
son éstos las pantomimas 'Accesos de silencio' y 'Las danzas de
pasión', los artículos 'Moguer', dedicado a Juan Ramón Jiménez,
'Alma' y 'El misterio de la encarnación', el ensayo 'Palabras en
la rueca' y una reflexión autobiográfica rotulada 'Tristán (Propa-
ganda al libro *Tapices*)'. En varios de los trabajos nombrados se
hace patente la casi obsesiva preocupación del autor por la mujer
y el problema de la unión carnal; en su alambicado sensualismo
se evidencian influjos modernistas, una información puramente
libresca con la que pretende trascendentalizar lo que en realidad
es sólo, en Ramón, un simple problema fisiológico propio de la
adolescencia, y a cuyo desmesuramiento pienso debió contribuir
su temprano encuentro con Carmen de Burgos. Fondo autobiográ-

fico posee, a mi juicio, el artículo 'Alma', el cual, en buscado contraste con lo que su título sugiere, no es sino un estudio de desnudo femenino en el que la palabra cobra calidades pictóricas. En el trabajo que pone remate a la obra se incluyen referencias al Rastro madrileño y al Café de Pombo, futura sede de la tertulia que fundó Gómez de la Serna, así como una selección de greguerías, las primeras que publicó, precedidas de una imprecisa definición de este nuevo género literario.

De sus primeras obras opinó Ramón en 1920, en *Libro Nuevo*; *Entrando en fuego* y *Morbideces,* dice, juzgándolos creo con acierto, son libros "hechos en el sonambulismo de impúber a púber"; aludiendo ahora a su labor posterior, la que publicó en *Prometeo,* añade: "no pudiendo hacer lo que yo hubiera querido, un arte que yo veía como confuso e inestimable, esbocé una vana ilusión llena de vagas palabras, todo hijo del delirio de la soledad y de los gritos de ¡loco!, ¡loco! que me propinaron cuando inicié la sensatez más trivial". Ya en su senectud, en *Automoribundia,* Gómez de la Serna torna a enjuiciar, en esta ocasión con objetividad mayor, aquellos libros primerizos; fueron, escribe ahora, "piedras desde la barricada. Ya es bastante dar carácter a la piedra en vez de tópico a las cosas. La transformación en piedra del tópico fue la primera evolución de lo que iba siendo cada vez más monótono. Todo volvió por un momento a purificarse, a ser materia bruta, palabra oscura y ruda, cosa que había conseguido su rebeldía primera. Así *Morbideces* y *El Libro Mudo* son desplantes que sólo conociendo la época en que aparecieron se justifican". Considero justa esta valoración; para explicar el núcleo ideológico y también la factura literaria de aquellas obras basta hacer alusión a la edad del autor, su inconformismo juvenil y también, desde luego, a su temprana experiencia erótica. Al emprender la edición de sus *Obras Completas,* en la nota preliminar que encabeza el primer volumen, Gómez de la Serna justifica la exclusión en esta definitiva codificación de su labor como escritor de sus primeros libros, producto, dirá, de 'mi frenética adolescencia'; Ramón repudia *Entrando en fuego, Morbideces* y *Muestrario,* obra esta última editada en 1918, *El Libro Mudo, Tapices* y la casi totalidad de su teatro. Aunque los rechaza sigue encontrando para ellos justificación: "el delirio en soledad, escribe, se puede llamar toda mi obra del principio, un delirio fulminante, que, por otra parte, en aquel momento falto de ambiente para nada, fue lo que había que tener".

Varios comentaristas han emitido juicio de las obras de Ramón que el lector ya conoce. 'Silverio Lanza', en 1910, califica a *Morbideces* de "maravilloso modelo de autoscopia"; *Mis siete palabras,* añade, suponen "una categórica condenación de las sociedades existentes", lo cual, dicho por 'Silverio Lanza', tiene el valor de un incondicional elogio. Luis Ruiz-Contreras, en carta que escribió al padre de Ramón el 23 de febrero de 1911, descubre en la obra hasta tal fecha realizada por nuestro autor una 'excesiva facilidad'; explicando este juicio en cierto modo adverso, añade: "Todo es fácil para su energía y para su fortuna. Razona, escribe, inventa con facilidad; gana fácilmente las amistades; tiene para la vida y para el triunfo todo género de facilidades. Y tanta facilidad conduce fácilmente a su superficialidad. Es, monumentalizado en sus dotes nada comunes, el pecado, el castigo del carácter español". Cansinos-Assens ha comentado con detenimiento las obras que integran la primera jornada en la vida de escritor de Gómez de la Serna; son, opina, "libros escritos para la minoría entusiasta, para las acres juventudes rebeldes"; su autor, continúa, "bajo la máscara de *Tristán el decapitado,* ha cumplido la pura y divina peregrinación por el desierto que debe anteceder a todo contacto con las muchedumbres. Allí ha puesto él los más ingenuos y desinteresados fervores de una juventud igualmente inquieta de pensamiento y emoción"; en lo que atañe a la doctrina expuesta en tales obras, Cansinos-Assens descubre en su autor a "un escritor disolvente, a un tiempo aristocrático y demagógico. Ha frecuentado sin duda las amistades libertarias de Sterne y de Nietzsche y ha adquirido la representación trágica de la vida, como un juego de fuerza sin objeto, sin causas finales ni otra justificación que la del propio existir". Aludiendo ahora a los posibles influjos que pudieron contribuir a elaborar estos primeros libros de Ramón, escribe el crítico que cito: "En esta su primera época, Ramón o 'Tristán' Gómez de la Serna es un hijo del novecientos; escribe con el tono contemporáneo, y refleja el espíritu de independencia que en unos, como Baroja o 'Azorín', toma formas demagógicas, y, en otros, como Valle-Inclán, asume el tono aristocrático, desdeñoso y mordiente de los condestables literarios a lo D'Aurevilly". El juicio es certero; en la obra juvenil de Ramón se hace patente tanto como el magisterio, siempre ensalzado por él, de 'Silverio Lanza', el eco de sus lecturas de los novelistas franceses y algunos filósofos entonces en boga y también la influencia de quienes encabezaron en la generación que antecedió a la suya, los grupos 'noventayochista' y 'modernista', a despecho de la inmisericorde y acre repulsa que de tales escritores hace Ramón en varios de sus primeros escritos.

Valéry Larbaud señala en la obra inicial de Gómez de la Serna, fiel exponente, dice, de la extrema juventud de su autor, muy varios influjos; su arte literario lo considera análogo al de los primeros discípulos que en Francia tuvieron los escritores decadentes y simbolistas. Para Guillermo de Torre, quien amplía el juicio a su obra dramática, "aquellos libros iniciales de Ramón resumen más sencillamente un estado de espíritu transicional: el que se produjo cuando, agotadas ya las aportaciones del modernismo, aún no habían surgido otras, rompiendo con aquéllas e inaugurando distintos métodos de conocimiento". La opinión de Guillermo de Torre viene a confirmar lo que ya apuntaban los comentaristas antes nombrados; todos coinciden en suponer que Ramón, en sus años de aprendiz de escritor, tras el aparente robinsonismo de su postura literaria, fue en realidad un hijo más de su tiempo, y en él influyó, y poderosamente, la época en que le correspondió vivir durante los años, a su vez críticos, que sirven de puente, en la existencia humana, entre la infancia y la madurez, edad en que el hombre descubre su intimidad y tiene lugar el nacimiento a la vida intelectual.

Parte importante, y no sólo por su volumen, de la obra juvenil de Gómez de la Serna es su producción dramática; en el plazo de cuatro años, entre 1909 y 1912, Ramón compuso dieciséis piezas teatrales, en su mayoría de breve extensión, a las que cabe sumar varias pantomimas y danzas. Parte de esta labor la reunió en 1914 en un volumen que tituló *Ex-Votos*. Con excepción del drama *Desolación,* publicado por la revista *Ateneo* (1909), todos sus ensayos teatrales los da a conocer en *Prometeo*. Abandonado este género literario por Ramón en 1912, a él no retorna hasta 1929, fecha en que publica, en *Revista de Occidente,* su comedia *Los medios seres*; su última pieza teatral, de las editadas, es el drama *Escaleras,* que publicó la revista *Cruz y Raya* en 1935. No ha sido editado el libreto de una ópera, titulada *Charlot,* escrito por Gómez de la Serna en 1932 a sugerencia de Salvador Bacarisse, autor de la música; en 1933 la llevó Ramón a Buenos Aires siendo ofrecida a Victoria Ocampo, directora entonces del Teatro Colón; no pudo estrenarse y tampoco se cumplió tal propósito en Barcelona, concluida ya la guerra civil, como se había intentado. De sus pantomimas, cuatro, agrupadas bajo el rótulo colectivo de 'Accesos de silencio', fueron reimpresas en el libro *Tapices*; se titulan 'Revelación', 'Las rosas rojas', 'El nuevo amor' y 'Los dos espejos', dedicándolas su autor, respectivamente, a Guillermo Castañón, Salvador Bartolozzi, Emiliano Ramírez-Angel y Francisco Martos; en las cuatro se evidencia la preocupación erótica, y lo mismo ocurre en 'Las danzas de pasión', ofrecidas a Cansinos-Assens y que Ramón incluyó también en *Tapices*; en estas danzas, al igual que en las pantomimas nombradas, su tema es la relación hombre-mujer; "todos los problemas humanos retrotraídos a Adán y Eva", escribe Gómez de la Serna. De drama 'pantomímico y bailable' califica Ramón su esbozo teatral 'Fiesta de dolores', publicado en 1911 en *Prometeo*, e idéntico calificativo ha de concederse a 'La bailarina', editado, un año antes, en la misma revista.

A este grupo inicial de piezas teatrales menores, necesitadas todas de ilustración musical para ser representadas, ha de añadirse su labor propiamente dramática, en la cual cabe establecer una ordenación según la primacía que en cada obra, de las que ahora hablaré, se concede al problema erótico y a la crítica social, cuestiones una y otra, debo repetirlo, que polarizan por entero la inquietud literaria de Ramón en estos primeros años de escritor, según lo confirman sus obras *Morbideces* y *El Libro Mudo,* y tanto como ellas muchos de los artículos y ensayos que publicó en *Prometeo*.

El despertar erótico del niño lo convierte Ramón en tema teatral en sus dramas, ambos publicados en 1909, *Desolación* y *Cuento de Calleja,* este último ofrecido a Carmen de Burgos y en el que se incluyen elementos autobiográficos. *Beatriz. Evocación mística,* drama también editado en 1909 y que su autor dedicó a María del Rosario Catalina, centra su trama en la contraposición de dos figuras femeninas: Salomé y Beatriz, símbolos, respectivamente, de la sensualidad y la pureza, si bien en Beatriz su castidad, que la lleva al sacrificio, es sólo inconsciente imposición sobre soterradas apetencias instintivas; el influjo modernista en esta obra es patente. El propósito de descubrir la intimidad de la mujer inspiró a Ramón el argumento de otro de sus dramas, *El Laberinto,* que publica en 1910 dedicándoselo a Ricardo Baroja; los personajes femeninos de la obra nombrada buscan perderse en el laberinto que dibujan los setos de boj de un jardín público; son mujeres que huyen de la convivencia de la ciudad, a impulsos de la desolación que en ellas ha hecho nacer la pasión amorosa; Ana, Luisa y Elvira al adentrarse por el laberinto aspiran lo inconquistable: huir de sí mismas, arrancarse a su propio dolor; se sienten 'holladas' por los hombres a quienes hicieron entrega total de su persona y que fueron incapaces de comprenderlas; "somos sólo la felicidad ajena", dirá, por todas, Ana. Al lado de 'las transfiguradas' (Ana, Luisa, Elvira), Rita representa a la adolescente que aún desconoce el amor, y 'la viuda', la mujer que llora la muerte del hombre amado. El anhelo de huida no se logra; el 'guarda-bosque', única figura masculina de la obra, rescata a estas mujeres perdidas en el laberinto, quiere decirse en su desvarío, y obligándolas a salir de él las devuelve a la ciudad, a la vida que desearon abandonar. De *El Laberinto* escribió 'Silverio Lanza' este laudatorio juicio: "un admirable y sutil velo tejido con palabras y que deja transparentar el alma de las verdaderas mujeres".

El problema de la relación hombre-mujer lo desarrolla Ramón en los dramas *Siempreviva, Tránsito* y *La corona de hierro, El teatro en soledad* y *El lunático,* publicados los tres primeros en 1911 y los dos restantes al siguiente año. *Siempreviva* fue dedicado 'a Margot' y *Tránsito* a Vivanco; *El teatro en soledad* se encabeza con unas palabras dirigidas a Eugenio Noel. Las piezas teatrales citadas, de argumento dispar, se asemejan por el hecho de ser siempre el mismo el impulso que conociéndolo o ignorantes de su existencia empuja a obrar a sus personajes, guía sus actos y da tema a sus parlamentos. El impulso a que aludo es, para hombres y mujeres, la búsqueda del amor, el encuentro o la reconquista de la mujer o el hombre, en ocasiones carentes de realidad, inalcanzable por tanto, capaz de llenar sus existencias de sentido y satisfacer las necesidades que les acucian; todos los personajes a quienes Ramón da vida en estas obras, igual hombres que mujeres, al pretender alcanzar el amor lo único que logran es adentrarse más y más en sí mismos; incapaces para la entrega sólo desean su personal satisfacción. De los dramas a que vengo refiriéndome los mejor realizados, también los de más dilatado desarrollo, son *El teatro en soledad* y *La corona de hierro*. La condición de meros símbolos que Ramón confiere a sus criaturas explica que buen número de estos personajes carezcan incluso de nombre; sirve para individualizarlos algún rasgo de su fisonomía o un detalle en su atuendo; tenemos así 'La de la frente lunar' y 'La mórbida', 'La descotada' y 'La de la boca violeta', y entre los personajes masculinos 'El descarnado' y 'El del pelo crespo', 'El alto' y 'El de la barba nazarena'.

Problemas propiamente ideológicos, entremezclados con otros más íntimos, ligados a la convivencia carnal, son escenificados por Ramón en *El drama del palacio deshabitado,* que editó en 1909, y en las piezas dramáticas *Los sonámbulos,* la segunda versión de *La utopía* y *Los unánimes,* publicadas las tres en 1911. Con el título *La utopía* Gómez de la Serna había rotulado ya en 1909 una ficción teatral que ninguna relación guarda con el drama de 1911 salvo la identidad de título y el estar las dos creaciones dedicadas al escultor Julio-Antonio. *El drama del palacio deshabitado,* obra que se encabeza con un texto de Nietzsche, la ofrece su autor, en colectividad, a quienes en tal fecha componían el grupo de sus amistades literarias*. La intención del drama la descubre Gómez de la Serna al escribir en su prólogo que él quiere ser "una síntesis gráfica que redujera a su más mínima expresión mi concepción monística, antipragmática y decadente de la vida". En la obra se contrapone a la ficticia existencia de los muertos-vivos que habitan el simbólico palacio donde la escena transcurre, la vida, esta real, de dos jóvenes, Rosa y Juan, que consuman su amor en tal ambiente; la tesis del drama defiende la necesidad de despojar a la convivencia humana de convencionalismos, 'lujurias de la sombra' los denomina Ramón. Que Gómez de la Serna aspiró a conferir a su obra intención renovadora de la realidad política y social del momento lo confirman algunas claras alusiones que se leen en su prólogo; así, por ejemplo, cuando sostiene que la labor reformadora, para resultar plenamente eficaz, debe carecer de auténtica filiación política: "no se haga, escribe, republicana, ni lerrouxista, ni dicentesca, y menos que nada anarquista"; el empeño renovador ha de cumplirse, añade, "con menos tópicos, con más serenidad... Hay que prodigarse en una labor de queja, de desamarre, de evidencia... Todo está involucrado".

Los sonámbulos, obra dedicada a Miguel Viladrich, parte se-

---

* Creo de interés transcribir esta relación: 'Silverio Lanza', Juan Ramón Jiménez, Luis Ruiz-Contreras, Alejandro Miquis, Eduardo Díaz-Canedo, Julio-Antonio, Emiliano Ramírez-Angel, Francisco Gómez-Hidalgo, Fernando Fortún, Edmundo, Pedro y Andrés González-Blanco, Benito Buylla, Pedro Farreras, Leonardo Cherif, Ricardo Baeza, Miguel Viladrich, Vicente Almela, Eugenio Noel, Emilio Carrere, Robledano, Leocadio Martín Ruiz, José María Aguinaga, Juan Díez-Caneja, Prudencio Iglesias, Juan Pujol, García Sanchiz, Selma, Lasso de la Vega, 'Cerrillo' y Antonio de Hoyos y Vinent. En su mayoría, los nombrados venían colaborando con Ramón en la revista *Prometeo*.

gunda de la que Ramón titula 'Trilogía Máxima', cuyo primer miembro es *El drama del palacio deshabitado*, se acompaña de un largo epílogo, firmado con el seudónimo de 'Tristán', el cual constituye otra dura diatriba contra el sistema de ideas y creencias que preside el vivir comunitario, redactada siguiendo los principios ideológicos que a Ramón enseñó 'Silverio Lanza'. El ensayo dramático, en un solo acto, se compone de los parlamentos que cara al espectador recita un corto número de personajes: 'La vieja pintada', 'El inconsolable', 'La virgen' y 'El jugador', 'El extraviado', 'El prestamista' y 'El justo'; la acción, si de acción puede hablarse, tiene por escenario el barroco salón de un hotel veneciano. En el epílogo, impersonalizando la referencia, 'Tristán' justifica el propósito crítico de la obra; en esta divagación, de factura muy ramoniana, teoriza sobre las poderosas y oscuras fuerzas que gobiernan el vivir humano; para nombrar estos impulsos inconscientes Ramón usa una gráfica palabra: '¡culebras!', que repite de modo casi obsesivo. La existencia comunitaria, en su apariencia, se hallaría, a juicio suyo, en desacuerdo con el turbio fondo que la nutre; "¿a qué decir, se interroga Ramón, 'justicia', o 'la gran aurora', o 'el gran día', o 'cuando se rompan las cadenas', o 'cuando se cumpla la igualdad que enseñó Cristo', o 'cuando sean todos buenos'?"; en realidad, tales afirmaciones son únicamente frases vacías de contenido, burdo engaño; viven los hombres, añade Gómez de la Serna, desconociéndose, "llenos de espíritu, es decir de una carnación artificial con que sustituyen a la carne prieta y cierta que falta a su carne, que les falta en peso neto... Y todos con su resto de carne, metida como en frascos de museo, frascos con ácidos fuertes que evitan la descomposición, que les provendría en su inmovilidad y en su cordura... Sumergidos todos, pueriles, lívidos y arrecidos en el ácido del frasco... Cecina más que carne, envuelta en su traje, en su moral y en su adobo perfumado". La salvación pueden lograrla los hombres, tal fue la que Ramón quiso conferir a sus 'sonámbulos', si reconocen la subordinación de sus personales existencias al haz de instintos que les gobiernan y se consagran a su satisfacción.

Idéntica doctrina colma de denso contenido ideológico la segunda *Utopía* ramoniana, en la cual, como ocurre en *Los sonámbulos* y en *El drama del palacio deshabitado,* obras, las tres, escritas en 1911, se combina la exaltación de los impulsos carnales y la crítica social. Los personajes de *La Utopía* son hombres y mujeres rechazados por la sociedad, seres a quienes aúna el desamparo y la rebeldía; también aquí se recusan en un solo anatema cuantos credos han sido formulados para gobernar la existencia comunitaria, pues ninguno, en opinión de Gómez de la Serna, es válido para devolver a los habitantes de la simbólica ciudad la vida libre, paradisíaca diríase, de total entrega a las exigencias del instinto; por ello, cuando uno de los personajes, 'El de la cicatriz', exclama: "Nosotros haremos la revolución", es contestado por 'El de la corbata roja', en tal momento portavoz de quien los creó a todos: "Cortaréis cabezas, que no es lo mismo, y después el mismo hastío y la misma prudencia... Sólo un cambio de poderes y el reparto tristón de lo que es la pobreza de todos... Tenéis un programa económico a lo más, y no un programa de pasión... Todo tan vacío con unos o con otros... Tengo más fuerza que vosotros porque tengo más pasión". Forzado a explicarse, el ideario, si cabe denominarlo así, de este personaje se resume en una simplista afirmación de la necesidad de elevar la satisfacción carnal a categoría de norma convivencial única: "Hay que tener otra cosa que un discurso en el cuerpo o que una razón... Una mujer alta, resplandeciente, demasiado blanca y demasiado imposible, demasiado imposible...; todos pensáis llenarlo todo de policía, de secretos privados, de recelos mutuos y

38. RAMÓN Y SU ESPOSA EN MADRID. *1948*

39. RAMÓN Y SU ESPOSA ANTE "LA TERTULIA DE POMBO", DE SOLANA

40. HOMENAJE DEL AYUNTAMIENTO DE MADRID A RAMÓN

41. HOMENAJE DEL CIRCO A RAMÓN. *Madrid*
42. CONFERENCIA EN EL ATENEO. *Madrid, 1954*

resguardar la vida a costa de leyes y de moral...; tenéis en lugar de pasión ideas sociales... ¡Hay que resistirse a las ideas y no a las pasiones!" Para comprender este desorbitado pansexualismo de Gómez de la Serna en sus años de mocedad, el cual, conviene anticiparlo, nunca dejó de gobernar su mundo ideológico y por ello de inspirar su labor como escritor, preciso es aludir al precoz amparo que para su existencia privada halló en la compañía de una mujer que le superaba en años y experiencia, de la que sólo se desasió cuando también a él la juventud se aprestaba a abandonarle. Por su tema, como en la traza de sus personajes, recuerda a *La Utopía* el drama *Los unánimes,* dedicado al poeta Joan Pí: en él predica el derrocamiento de toda norma convivencial y el primado de una egoísta satisfacción instintiva.

Resta por mencionar *La casa nueva,* pieza dramática en tres actos, que Ramón dedicó a Ricardo Baeza y fue publicada en 1911; por su tema no cabe adscribirla a ninguno de los grupos analizados. Esta obra, definida por su autor como 'el drama cuotidiano de un pueblo cual el de Castilla', 'drama de ambiente' en otras palabras, tiene por verdadero protagonista el propio paisaje, adusto, escueto, de las altas tierras de España; su intención, creo que lograda, es mostrar cómo en Castilla la vida sólo resulta soportable dentro del cercado de las agrupaciones humanas, aldeas o ciudades, de espaldas al paisaje que las enmarca.

En diversas ocasiones ha teorizado Ramón Gómez de la Serna sobre esta predilección suya, predominante en los años de aprendizaje literario, por el género dramático; que quiso incluso colaborar en la renovación teatral española, lo confirma el que aceptara la vicepresidencia del Teatro de Ensayo, organización fundada en 1910 con el amparo de Benavente y bajo la presidencia efectiva de Alejandro Miquis; de lo que pretendía lograr aquella empresa habla el propio Ramón en una crónica sin firma

11

que por entonces publicó en *Prometeo*. En fecha bastante posterior, y englobando en el recuerdo las obras que ahora califica de 'teatro muerto', escribe Ramón: "Mis dramas y mis comedias han sido arrebatos de mi adolescencia, maneras de no estar solo con mis deseos de un arte arbitrario que en aquellos días de Edad Media que en tan próxima época vivía España, era imposible ni siquiera esbozar. Con todo el murmullo de mis producciones teatrales se calmaba algo mi anhelo antiteatral". Lo cierto, aunque no lo diga, es que tales ensayos dramáticos, al margen de su valor literario, sirvieron a Ramón para elaborar y dar forma, en la medida de lo posible, a su confuso mundo ideológico, lo que les otorga un innegable interés documental. Lo afirmado no resta valor a la intención, si se quiere educadora, que Gómez de la Serna confiere al teatro, "sitio indicado, dijo en cierta ocasión a Santiago Vinardell, para que el alma se desnudase y para que unas relaciones más sinceras y más entrañables surgiesen ante todos". En *Automoribundia,* rememorando este quehacer suyo de autor teatral, nos cuenta Ramón: "Escribo dramas como un loco, metido días y días en casa, tramando personajes... Ni por un momento pienso ir al teatro de las carteleras; pero ensayo un teatro de matadero y de capilla del milagro"; añade: "No eran representables, ni audibles, ni escribibles, aquellos dramas; pero se publicaban en mi revista y los que me encontraban no sabían qué decirme porque dudaban si los habían leído o fueron una escenificación de su fiebre gripal. Yo no estaba orgulloso de aquel teatro, yo sólo me sentía forzado a escribirlo sacando de mi pedazo de cordillera Carpetovetónica bloques esculpidos". En su primera autobiografía hace Ramón especial alusión a *El teatro en soledad,* obra, apunta, que se anticipa en varios años a los *Sei personaggi* de Pirandello; "sólo, escribe, con entrever la estructura de aquel drama en que las palabras no tienen 'maeterlinckianismo' sino rupestrería, se verá cómo cumplí lo bastante antes que otros el deber de desteatralizar el escenario, de intentar superarle". Negativamente juzga Ramón en *Automoribundia* su temprana producción teatral; se pregunta y contesta ahora: "¿que yo tuve una época de escritor de teatro y los primeros tomos que publiqué fueron de teatro? Sí, es verdad, pero fue un teatro muerto, teatro para leer en la tumba fría, y recuerdo esa época como si hubiesen hablado conmigo las malas musas teatrales". Desde 1912, fecha de publicación de *El lunático,* pasarán bastantes años antes de que Gómez de la Serna retorne, y muy fugazmente por cierto, a ensayar el género dramático.

Varios comentaristas han emitido juicio de la obra teatral de Gómez de la Serna, aunque ésta no ha sido aún objeto del examen que creo merece. En opinión de Cansinos-Assens, los 'dramas arbitrarios' de Ramón recuerdan algunos bosquejos de 'Rachilde'. Guillermo de Torre, excelente conocedor, lo he dicho en varias ocasiones, de la obra ramoniana, juzga los ensayos dramáticos de Gómez de la Serna extraños e impenetrables, "muy justamente bautizados 'teatro en soledad', porque sus personajes monologan, hablan consigo mismos, sin lograr salir hacia claros de luz". Para Valbuena Prat, los dramas de Ramón anteceden al vanguardismo; en ellos, "junto a frondas modernistas, lánguidas, notamos el ingenio de un truco que hace, hábilmente, pensar en Pirandello, aunque dentro de una extraña mezcla de lo original y lo morbosamente sensorial".

La edición de *El lunático* pone fin a la copiosa producción dramática de Gómez de la Serna, iniciada en 1909. Explica este alejamiento su evidente preferencia por la novela como vehículo de expresión literaria. En el prólogo que escribió para su comedia *Los medios seres*, dirá Ramón: "La novela es muy superior al teatro, pues en la novela el espíritu campea plenamente y puede escoger sus personajes entre las nobles minorías, cuando en el teatro son casi todos gentecilla". No obstante estar convencido de la verdad que a juicio suyo guardaba tal opinión, nunca se acalló por entero su primera inclinación a la literatura dramática; seguirá soñando con un teatro 'nuevo', y como anticipo de esta esperanza escribirá *Los medios seres,* por él calificada de 'comedia de transición'; la obra es fruto de un dilatado proceso de gestación: "he tardado años, confesará Ramón, en poner en limpio esta obra, que estaba completa en mi imaginación, y que propalé en las entrevistas y reconté tantas noches en Pombo". Valentín Alvarez solicitó a Gómez de la Serna una obra suya para estrenar en el teatro Alcázar de Madrid, y urgido por este ruego su autor la concluye en breve plazo; su texto lo editó, en 1929, la *Revista de Occidente.*

En la comedia conviven personajes de doble condición; unos, los 'medios seres', que aparecen ante los espectadores con medio cuerpo totalmente entintado de negro, son hombres y mujeres que creyéndose seres normales carecen no obstante de parte de su personalidad, lo que les empuja a buscar la mujer o el hombre capaz de colmar el vacío que les acompaña; a su lado, los 'seres normales', presentados en el escenario con su traza corriente, son, para el autor, hombres o mujeres dominantes, "brutales e insoportables, excesivos para el vivir en parejas apasionadas". La trama argumental de la obra, muy simple, se reduce a escenificar lo que va cobrando conciencia en Pablo y Lucía, protagonistas del enredo, ambos con categoría vital de 'medios seres'; la convicción de que su mutuo amor ya no consigue llenarles por entero, pues deja parcelas de intimidad insatisfechas, acaba induciéndoles, con mayor urgencia a Pablo, a buscar otro ser que sin renunciar al que ya poseen les ayude a sentirse a cubierto de tan angustiosa sensación de vacío interior. Cuando Pablo ha creído encontrar en Margarita la segunda mujer que su existencia de varón precisa, dirá a ésta, razonándole su necesidad: "Ella —Lucía— tiene cuerpo de mujer y tú de sirena; completáis así lo humano con lo fantástico"; le repite en otra ocasión: "Necesito que sea —sigue refiriéndose a Lucía— tu amiga y tu reverso. Ahora mi corazón se sentirá más pesado de drama y felicidad". La sugerencia que inspiró a Ramón esta original comedia la ha explicado en *Automoribundia* con estas palabras: "Mi idea era una idea química y endiablada que quizá había surgido de esa dama del cuadro que pende en mi despacho mitad viva y mitad muerta, una mitad bellísima y alhajada y la otra esquelética, reflejándose el todo en un espejo de mano en que se mira sorprendida". Sin negar veracidad a esta opinión, pienso que el argumento de *Los medios seres* se lo deparó a Gómez de la Serna una situación, ciertamente crucial, de su vida íntima; aludo al convencimiento, insinuado ya en él hacía entonces varios años, de que su unión con Carmen de Burgos, mantenida con singular fidelidad desde 1909, no era capaz de seguir satisfaciendo sus necesidades de varón inquieto; sobre esto y el cerco de seducción que en torno suyo tejió la hija de la mujer amada, queda dicho cuanto puede saberse en el primer capítulo de este estudio.

Tal situación, día a día agudizada, lo repito, debió sugerir a Ramón el tema de su comedia, en la que Pablo es reencarnación suya mientras Lucía y Margarita simbolizan a las dos mujeres que entonces se disputaban su existencia privada; la situación que ambas terminaron provocando en su vida dio motivo a los incidentes, que el lector ya conoce, que precedieron a la representación de la obra; el estreno de *Los medios seres* precipitó el desenlace de su relación con Carmen de Burgos y suscita un breve episodio pasional al que puso término la precipitada huida de Ramón a París. El estreno de la comedia, que protagonizaron

Pepita Díaz y José Artigas, tuvo lugar ante una innegable expectación y a él asistió el autor acompañado de Valentín Alvarez y Fernando Vela. *Los medios seres* suscitaron entre quienes llenaban el teatro Alcázar contradictorias reacciones; mientras unos aplaudían otros mostraron ruidosamente su disconformidad; un periódico madrileño, con burda gracia, llamó a Ramón 'Semi-Gómez de la Semi-Serna'; las representaciones de la obra sólo se prolongaron durante pocos días y en ellas Ramón intercaló una breve charla suya entre los actos tercero y cuarto. La comedia fue luego representada en el Teatro Maipe de Buenos Aires, en 1933, por Lola Membrives. Juzgando esta aventura teatral y queriendo explicar el fracaso en que concluyó escribe Gómez de la Serna en *Automoribundia*: "Está metida en inmovilidad el alma española, está hozando alegre en sus calandrajos, huele como los perros el sitio por el que pasó otro perro, vive en un círculo vicioso de compunciones, floreos de cursilería, comentarios de falaz decencia, y el que sale de esa rutina lo paga caro". En la agitada controversia a que la comedia de Ramón dio motivo, uno de los pocos que la enjuició favorablemente fue 'Azorín', quien por entonces, conviene recordarlo, estaba empeñado también en la empresa de abrir nuevos cauces al teatro nacional. Para Valbuena Prat *Los medios seres* es obra alineada en la orientación vanguardista, de la que serían otros ejemplos representativos el *Narciso* de Max Aub (1928) y *Enemigo que huye* (1927) de José Bergamín.

El último ensayo teatral conocido de Gómez de la Serna, el drama *Escaleras*, nunca representado, lo publicó, en 1935, la revista *Cruz y Raya* con magníficas ilustraciones de José Caballero. El argumento de la obra es sencillo. Diversos personajes, y entre ellos dos, los protagonistas, Enrique y Luisa, acuden, empujados por su desamparo, atraídos por un misterioso anuncio, a una casa en cuyo portal dos escaleras paralelas se ofrecen con su incógnita; cada personaje, tras vacilar en la elección, guiado por el azar, escoge una de ambas y subiéndola desaparece; Enrique y Luisa deciden tomar cada uno distinta escalera. El segundo acto del drama descubre al espectador cómo mientras una escalera conducía a 'la casa de la felicidad' la otra llevó a quienes la eligieron a 'la casa de la desgracia'. En la primera de ambas mansiones Luisa rehusa la dicha que en ella se le ofrece al verse privada del amor de Enrique y acepta trocar la felicidad en desgracia para recuperarlo; dirá Luisa, y en estas palabras, como en la respuesta de Enrique, se revela la intención de la obra: "Cuando se ha encontrado el amor, la felicidad no está más que en el reino oscuro del corazón"; contesta Enrique: "un amor sin incertidumbre es capaz de salvar a todos los náufragos de un naufragio". Esta pieza dramática, no creo equivocarme al afirmarlo, contiene un significado autobiográfico evidente; en ella Ramón explica la naturaleza y el poder de los sentimientos que le llevaron a unir su vida a la de Luisa Sofovich, un amor capaz de borrar el pasado, resistente a toda prueba, vencedor del tiempo.

CAPITULO VI

RAMONISMO

La etapa de aprendizaje literario la concluye Ramón Gómez de la Serna hacia 1914, cuando la Casa Prometeo de Valencia edita su libro *El Rastro*; a partir de esta fecha, y en la década que a tal año sigue, Ramón, en posesión ya de todos sus recursos de escritor, ayudándole un estilo muy personal y una orientación ideológica asimismo original, vive la época de más copiosa producción libresca publicando algunas de sus obras más representativas. De ellas deslindaré un cierto número de libros, de no fácil catalogación, a los que caracteriza una inédita manera de expresarse, la 'greguería', y un nuevo modo de acercamiento a la realidad, al mundo de las cosas; para este grupo de obras y para las que semejantes a éstas escribió en fechas ulteriores al período que antes delimité, el rótulo que mejor les conviene, utilizado ya por el autor para titular uno de tales libros, es el de 'ramonismo'. Aludiendo a esta modalidad de su quehacer literario escribió Gómez de la Serna antes de 1920 al tiempo que descubre sus preferencias como escritor: "El libro inclasificable, el libro violento, el libro ultravertebrado, el libro cambiante y explorador, el libro libro en que se liberta el libro del libro"; tal es la condición de las obras que Ramón escribe con mayor complacencia, también, justo es advertirlo ya, las que mejor revelan su genio literario. En 1934, y en el ensayo 'Las cosas y el ello', dirá Ramón refiriéndose a este tipo de libros: "Lo que me caracteriza es la ternura por las cosas que hay en lo más recóndito de mí.

Así como hay el protector de animales, yo soy el protector de las cosas."

En el grupo de obras de Gómez de la Serna que propongo designar con el término 'ramonismo' figuran, iniciando la lista, *El Rastro, El Circo* y *Muestrario,* publicadas en 1918, y *Libro Nuevo,* editado dos años después; a estos títulos han de sumarse las obras consagradas por entero a la descripción de 'cosas', en su mayoría enriquecidas con originales ilustraciones realizadas por el propio Ramón: *Disparates* y *Variaciones,* ambas de 1922, *Ramonismo* (1923), *Caprichos* (1924) y *Gollerías* (1926), los textos, de idéntica factura, publicados entre 1930 y 1933 en *Revista de Occidente* con los rótulos 'Tugurio de imparidades' y 'Ensayos heterogéneos', y la colección de 'Siluetas y sombras' dada a conocer, en 1934, en la revista *Cruz y Raya;* parte de esta serie de trabajos fue incorporada luego al libro *Lo cursi y otros ensayos* (1943); de fecha posterior es el volumen titulado *Trampantojos* (1947) *. Por el carácter de su texto, más ceñido a un tema concreto, cabe incluir en una mención especial las obras *Senos* (1918), *El alba y otras cosas* (1923) y *Los muertos, las muertas y otras fantasmagorías* (1935). De sus 'greguerías' Ramón ha editado varias colecciones, la primera en 1917, la última y más completa en 1955; hasta la hora de su muerte, siguió editándolas, cada semana, en el diario madrileño *A B C.*

El libro con el que Ramón rompe el aislamiento, seguramente no deseado, de sus primeros años de escritor, la obra con la que aspira a hacer número en el retablo de la vida literaria española, es, según dije, *El Rastro,* a la que sigue *El Circo,* obra también de original composición; ambas, y esto importa destacarlo, supo-

---

* La obra *Novicosas,* que Ramón cita como editada en 1956, no ha sido, según mis noticias, aún publicada.

nen un intento, logrado plenamente, de suplantar la visión realista de lo circundante por un distinto modo de interpretar el mundo de lo real; en él, recusada la escala habitual de valores, las 'cosas', los seres también, son presentados en original escorzo, confiriéndoles nueva significación. Ramón, que venía postulando, según se sabe, una radical renovación de la situación histórica marco de su personal existencia, se adentra ahora en esta circunstancia sin olvidar aquellos preceptos y va a empeñarse en la tarea de desmontar los elementos que integran este mundo para luego rehacerlo siguiendo normas caprichosas, capaces de conceder al nuevo conjunto una arbitraria apariencia. Lo que realiza Gómez de la Serna, y de ello son testimonio las obras que ahora examinaré, cabe equipararlo a la labor demoledora y de renovación cumplida, en el terreno artístico, por el cubismo y quienes en su estética se inspiraron. Los temas desarrollados en *El Rastro* y *El Circo* corresponden ya a esta interpretación de la realidad; el Rastro madrileño como el espectáculo circense supusieron siempre, para Ramón, uno y otro, el más verídico escaparate de lo que es la existencia humana y el mundo en que ésta es vivida. En 1910, en *El Libro Mudo,* hace ya Ramón concreta referencia al Rastro donde, dice, "aprendí sólidamente más nihilismo ex-cátedra...; la transmutación de todos los valores, la verdadera, la menos lírica, la sugiere el Rastro. Nada es nada, ni es de nadie"; añade: "de la civilización es lo más formidable su Rastro". Y como el Rastro el Circo; escribió de él también en *El Libro Mudo*: "Las piruetas del circo y sus cosas decisivas son una bala rasa sobre las instituciones."

Recordando lo que en su vida de escritor supuso la edición de *El Rastro,* nos dice Ramón en sus memorias: "El libro tuvo algo de sensacional y ya estaba en él ordenado un panorama completo, un itinerario ideal y real, la base de mi exhibición de las cosas con sus variadas rúbricas idealizadas... Los dramas han quedado atrás como escritura de palotes". El literato inicia una nueva etapa. *El Rastro,* que dedica 'al justo y trágico Azorín', obra enriquecida con nuevos capítulos en su segunda impresión, se compone de una arbitraria acumulación de textos dedicados a describir bastantes de las mil cosas que ahora independizadas, muchas maltrechas, incapaces ya algunas de cumplir la misión para la que fueron creadas, se apilan en los tenduchos del Rastro, a la espera de comprador. En *El Rastro* Ramón cumple esta afirmación programática por él acuñada: 'sumerjámonos en las cosas'. No es posible esquematizar el contenido de la obra que comento; en ella se describen, con muy original prosa, abanicos, monedas antiguas y cascos de botella; peines, navajas de afeitar, botones y bastones de los más diversos modelos; collares, pendientes, sortijas, muebles, quinqués, estufas y braseros; cacharros de loza y barro; objetos de cobre, medallas, dijes, brújulas, brazaletes y estuches privados ya de lo que un día albergaron; supuestas reliquias, tinteros, tazas, ex-votos, camas y catres, sillas, jaulas y mesas; pupitres y cunas; maletas, perchas y bargueños; divanes y espejos; instrumentos de música e instrumental quirúrgico; cuadros y fotografías; sombreros y trajes; disfraces y caretas; figurillas orientales, relojes, animales disecados, libros y armas, tallas, bustos y esculturas. Esta enumeración, que considero suficiente a fines informativos, podría desde luego prolongarse.

Quien dio testimonio de su insolidaridad proclamando a la ciudad, ámbito natural para la convivencia, lugar del que es obligado huir, quien se recreó en dar vida en sus dramas a personajes identificados todos por el afán de abandonar la ciudad para rondar en sus aledaños, tenía, necesariamente, que conceder al Rastro categoría de mundo ideal; "el Rastro, escribe

Ramón, es en mi síntesis ese sitio ameno y dramático, irrisible y grave que hay en los suburbios de toda ciudad"; en el Rastro se encuentra Ramón con quienes como él piensan y sienten, 'jóvenes íntegros' los llama, que allí exhiben su independencia, sus ilusiones y desdenes. En su divagación el autor parece incluso recoger la preocupación política que singularizó el quehacer literario de los escritores 'noventayochistas'; aludiendo al hecho, que considera simbólico, de que el Rastro madrileño es conocido también con el nombre de 'las Américas', cuando es lo cierto que a él han venido a reposar en su último sueño tantos restos de la pasada grandeza nacional, exclama Ramón: "¡Gran ironía de España la del Rastro! ¡Auténtico sarcasmo lleno de vitalidad! ¡Feria constante de lo latente! ¡Corralada del diogenismo español!... España, la conquistadora, se retrotrae y se recoge en su propio solar. En Madrid, la capital de todo lo que se perdió, hay trasunto, rincones, símbolos de lo que se fue desgajando del árbol, ya hueco como una garita... Nadie debe pasar por Madrid sin ver las Grandiosas Américas del Rastro. Puede hasta dejar la excursión al Escorial, esa 'grandiosa caballeriza' o caverna triste, para no perder ese viaje por las Américas que le dejará lleno de realista experiencia".

El circo, como el Rastro, resulta ser escenario donde se ofrece, a juicio de Ramón, también en verídico escorzo, la auténtica realidad del vivir humano. *El Circo,* obra de la cual se han hecho varias traducciones y ediciones, es libro compuesto, como *El Rastro,* de textos independientes entre sí, dedicados a presentar al lector de turno clowns, amazonas y equilibristas, malabaristas, ilusionistas y magos, magnetizadores y domadores; el arte de Ramón hace posible asistir, leyéndole, a una imaginaria representación circense. A esta intención primordial de la obra, que justifica el que su autor proclame como su verdadera profesión la de 'cronista del circo', se suma el significado que al espectáculo quiere conferir Gómez de la Serna, quien lo interpreta como la única supervivencia del existir paradisíaco; es el circo, en efecto, viene a decirnos, donde la realidad y sus férreas normas quedan suplantadas por la fantasía, reviviendo, añade Ramón, "el paraíso terrenal, del que tiene toda la ingenuidad, la claridad y la gracia primitiva y edénica. Los animales del circo son mansos animales como los que andaban en el Paraíso, y Adán y Eva aparecen en él tan desnudos y tan simples". Desde la pista de dos importantes circos, recuérdelo el lector, encaramado sobre un trapecio en una ocasión, a lomos de un elefante en la segunda, en Madrid y en París, Ramón Gómez de la Serna pronunció dos de sus mejores charlas y recibió los homenajes que estoy seguro agradeció más.

Senos, cuyo texto ilustró Apa, obra editada el mismo año que *El Circo,* es otro de los más originales frutos del quehacer literario de Ramón y a un tiempo testimonio, como tantos libros suyos, de la importancia que siempre concedió al problema de la mujer. Compuesta merced a la simple acumulación de prosas relacionadas entre sí sólo por la identidad de su tema, la obra pretende expresar lo que una particularidad anatómica femenina, cuyo significado erótico no es necesario recordar, puede sugerir al varón. A despecho de lo que cabía esperar, el libro no merece ser calificado de pornográfico; tiene razón su autor al escribir: "no hay procacidad en él, sino serenidad, serenidad sensible y una tranquila y sonriente consideración frente al espectáculo de los numerosos senos que se ven en los huertos de la vida". En toda la obra, confesado en contadas ocasiones, en las restantes sin declararlo, se descubre la singular atención con que Ramón se acerca a la realidad física de la mujer buscando adentrarse en ella y dejarse atrapar en la atrayente y deleitosa sensación que tal

43.   RAMÓN Y SU ESPOSA. *Buenos Aires*

44. CONDUCCIÓN DEL CAD,

DE RAMÓN AL CEMENT

DE LA RECOLETA

45. HOMENAJE PÓS

A RAMÓN. *Ma*

RAMÓN. *Dibujo de Vázquez Díaz*

47. RAMÓN. *Caricatura de Bon*

48. RAMÓN EN SU DESPACHO. *Dibujo de Bon*

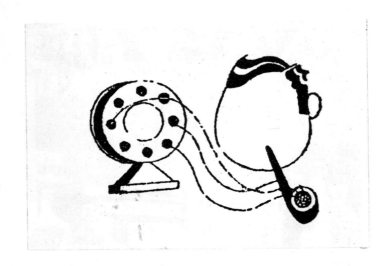

49-51. CARICATURAS DE RAMÓN

proximidad es natural suscite; anhela Ramón, lo diré con sus propias palabras, sentir "la turbación y el temblor primero, como de coger lo que es de otro, perfectamente de otro ser, de un ser con vida propia, de un ser cuya insubsanable separación no corrige, ni cura, ni resuelve el sexo amable; esa turbación y ese temblor, concluye, es lo que más pasa por esta obra, lo que se intercala constantemente en el texto de este libro y da cierto embarazo a las palabras". En la obra que comento, como en otras que podría citar ahora, Ramón revela una excepcional capacidad para escribir, con prosa densa, rica en metáforas, colorista, páginas y páginas, nutridos volúmenes, teniendo por tema único un motivo que en otro escritor quedaría agotado en unos pocos párrafos. La edición francesa de *Senos,* en versión de Jean Cassou e ilustrada por Pierre Bonnard, suscitó una airada réplica de Natalia Clifford Barney, que adjudicó a Gómez de la Serna el calificativo de 'tetófago'; respondió Ramón a la crítica, irónico y galante, con un divertido artículo publicado en *Revista de Occidente* y más tarde reproducido, acompañando ahora a un retrato literario de Miss Barney, en el volumen *Retratos Contemporáneos.* También en 1918 Gómez de la Serna edita el libro que tituló *Muestrario*; dedicada a Rafael Calleja, la obra se compone de tres partes independientes: 'Nuevos caprichos', 'Nuevas greguerías' y 'Variaciones'; reúne en ella una selección de sus entonces diarias colaboraciones periodísticas.

Las obras que quedan reseñadas: *El Rastro* y *El Circo, Senos* y *Muestrario,* con las que su autor penetra, con seguro andar, en el tablado de las letras españolas, han suscitado de sus críticos diversos comentarios, de los que considero conveniente recordar dos; Cansinos-Assens opina que tales libros están compuestos "por un procedimiento madrepórico"; constituyen, en realidad, "prismas que nos muestran todos los aspectos de un tema, con una diversidad de visión y una simultaneidad que a veces recuerdan ciertos instantes de ese arte cubista que nos dejan entrever los *ballets* rusos"; en otro lugar del amplio estudio hecho por el autor que nombro se lee: Quien así es capaz de escribir "se sale de la literatura, rebasa el molde de la forma escrita para acogerse a las artes más representativas, a la mímica, a la pintura escenográfica". Estos libros, añade, "se han formado como álbunes de apuntes y caricaturas, como cartapacios de caprichos goyescos; son la obra de la inquietud fugaz, de la visión concentrada y rápida, de la intención efímera. Sólo que el autor de estos apuntes literarios tiene una facultad de observación enorme, comparable tan sólo con sus medios de expresión". La fuerza plástica, 'visual' pudiera decirse, que revela el modo de tratar sus temas Gómez de la Serna se comprende mejor cuando se comprueba el perfecto acoplamiento que existe, en tantas obras suyas, entre su texto y las ilustraciones que lo acompañan, toscos grabados realizados por el propio Ramón. La opinión de Cansinos-Assens, como la posterior de Julián Marías que ahora repetiré, son criterios válidos tanto para las obras que el lector conoce como para las que luego comentaré y pertenecen asimismo al grupo de libros aquí reunidos bajo el calificativo común de 'ramonismo'. Escribe Marías en su sugeridor ensayo 'Ramón y la realidad': "Nunca es Ramón más Ramón —y menos realista— que cuando parece complacerse, extasiarse, en las cosas; en esos libros, *Senos, El Rastro,* en que renuncia a todo, a la novela, al ensayo, al *pastiche,* hasta a la irrenunciable greguería, para quedarse, como un torero, 'sólo con las cosas'. Entonces es cuando Ramón opera en ellas y les extrae su realidad"; en su reflexión Julián Marías recuerda aquel temprano postulado estético de Gómez de la Serna: 'Embriagarse por la realidad, ese debe ser nuestro encanto'; para cumplirlo, lo que Ramón hace es dar, incansable, vueltas en torno a las cosas; lo cual, como aclara Marías, "es lo contrario de la 'simple vista'; la simple vista es la vista que no es más que eso, y esa vista no existe. Ver es imaginar, interpretar, alumbrar las facetas de la realidad, hacer refulgir las conexiones", hacer, en suma, lo que Ramón ejecuta ante las cosas, en sí diversas, con las que su curiosidad le encara y luego describe utilizando el recurso de su fecunda prosa.

La etapa de la existencia de escritor de Gómez de la Serna que rememoro; aquellos años en que Europa sirve de escenario a los dramáticos episodios del primer gran conflicto bélico del siglo, la clausura Ramón en 1920 con la publicación del *Libro Nuevo,* obra editada a sus expensas y que resulta forzoso enfrentar con *El Libro Mudo,* diez años anterior. Las diferencias que se descubren entre ambas obras son el mejor testimonio para confirmar la evolución experimentada por el autor en la década que las separa; el Ramón ahíto de información libresca, adoctrinado por 'Silverio Lanza' y dominado, en el plano emocional de su vida, por Carmen de Burgos, ha sido suplantado por un Ramón con criterios ideológicos y estéticos bien elaborados y muy personales, en posesión de un estilo original y que ha entablado ya relación, durante sus estancias en París, con los promotores de la renovación artística y literaria, que cobrará fugaz predicamento en los años iniciales de la postguerra. Por su contenido, el *Libro Nuevo* es obra que resiste cualquier intento de clasificación; dedicada a José Ruiz Castillo, a quien el autor llama 'futuro editor de mis obras completas', en su nutrido texto se entremezclan relatos breves, mejor sería decir esbozos de posibles narraciones, greguerías, reflexiones y descripciones de cosas por el estilo de las incluidas en *Muestrario.* Parte importante del *Libro Nuevo* la constituye la reproducción en la obra, total o fragmentariamente, de artículos y comentarios sobre su labor de escritor; por haberlos recogido allí resulta hoy fácil conocer las opiniones que de la literatura ramoniana formularon antes de 1920, entre otros, Alfonso Reyes, Díez-Canedo y 'Azorín', Emiliano Ramírez-Angel y Manuel Machado, José M.ª Salaverría, Guillermo de Torre y Rafael Cansinos-Assens, 'Andrenio', Vicente Risco y Antonio de Hoyos y Vinent, García Mercadal, Gil Fillol, Junoy y Santiago Vinardell, Antonio Zozaya y Eduardo Hugo, Valéry Larbaud y Francis de Miomandre; se transcribe en *Libro Nuevo* incluso la versión francesa de varios textos de Ramón, traducidos por Valéry Larbaud, Mme. B. M. Moreno y Latour-Maubergeon y que publicó la revista *Hispania*. En el 'Aviso' que la encabeza Gómez de la Serna califica su obra de 'libro absurdo' y añade al juicio, buscando explicarlo: "es el libro en que están barajadas todas las cosas, y en que el cuento, la 'greguería', la bibliografía, la idea social, surgen en cualquier sitio, se quedan a veces un poco incongruos". Reitera más adelante: "Un montón de las cosas que tenía están puestas en este libro, muchas cosas absurdas que no defenderé sino diciendo que lo absurdo es mejor que lo idiota y tarda menos en volverse idiota frente a la verdad presente, que ya lo es enteramente". Dentro de la bibliografía ramoniana el *Libro Nuevo* constituye lo que ya su primera lectura hace sospechar: liquidación o balance de una época, ajuste de cuentas de lo realizado, y no para romper con este pasado, desde luego, sino para mejor utilizar lo logrado en las etapas que en tal fecha son todavía propósito no alcanzado en su vida de escritor.

En los años que siguen a la edición de *Libro Nuevo,* y en un período de máxima actividad creadora, Ramón publica un grupo de libros, compuestos, en su mayoría, de colaboraciones periodísticas, que deben considerarse continuación, eso sí depurada, del género iniciado con *El Rastro.* Titúlanse estas obras

Disparates, Variaciones, Ramonismo, Caprichos y *Gollerías*; en
el cuerpo de sus *Obras Completas* Gómez de la Serna refunde
estos volúmenes, tras seleccionar su contenido, con el rótulo común de *Gollerías*. En los libros que cito, Ramón encuentra motivo para sus descripciones en los más varios objetos; en sus páginas nos habla de las botellas de sifón y las fotografías de cri-
minales; de las ventanas; de los hipocampos o caballos marinos,
los espejos cóncavos y convexos y las almohadas de viaje; de los
maniquíes que exhiben ropa interior de invierno y las barcas
de los tío-vivos de feria; de las 'destrozonas' que recorren las calles en carnestolendas; de las fotografías moriscas que se hacen
los visitantes de la Alhambra granadina y las figuras que fingen
las nubes; de gorras de marinero, tipos de sillas, figuradas imágenes de un diccionario gráfico, gestos que adoptan las manecillas
en los relojes, peceras, tipos de frases y palabras truculentas, de
las que ofrece simbolismo gráfico; de los gestos que hace la luna,
las arañas, las últimas plañideras y los mozos de cuerda. La enumeración de temas podría prolongarse; los nombrados son sufi-
cientes, creo, para explicar al lector el contenido de las obras
que se examinan. Estos textos se acompañan, en ocasiones, de
dibujos hechos por Ramón y cuyo trazo ingenuo y a la vez irónico se compenetra bien con el fragmento menudo de realidad
que describe y la intención con que es expuesto. En ningún
otro lugar mejor que en tales libros se hace patente el talante
vital de Gómez de la Serna, que aúna su insolidaridad ante los
hombres a una clara orientación hacia el mundo informe de las
cosas y su interés por los hechos más intrascendentes del vivir
de cada día. A las obras citadas han de sumarse, según queda
indicado, los textos que publicó en *Revista de Occidente* y en
Cruz y Raya, así como el volumen, de fecha posterior, titulado

Trampantojos, también copiosamente ilustrado por el propio Ramón.

De los libros nombrados han emitido opinión crítica, entre otros, Rivas Cherif, Porras, Rafael Calleja y Guillermo de Torre. El primero de los mencionados encuentra en aquellas obras una vena humorística muy semejante a la cultivada por Charles Chaplin, con quien se identifica Ramón, dice Rivas Cherif, sobre todo "en el sentimiento lírico que corre por debajo de su inspiración desbordada en gracias truculentas". Rafael Calleja busca explicar el modo de comportarse Gómez de la Serna en su acercamiento a las cosas; aislada una cosa, escribe el comentarista que cito, "construye en torno suyo un irregular poliedro de greguerías. En cada faceta llama a lo que sea por su nombre y le regala cada vez cuerpo y alma nuevos… El poliedro puede formarse en torno a un hecho, un concepto, una imagen, un aspecto, muchos aspectos genéricos de la vida". Para Antonio Porras, Ramón es, ante todo, como escritor, un 'don Juan de las Cosas'. En opinión, por último, de Guillermo de Torre, los libros de variedades de Gómez de la Serna guardan directa relación con el género literario creado por él, la greguería, del que en este mismo capítulo se hablará.

Su manifiesta unidad temática confiere particular cariz, como ocurre al libro *Senos* ya estudiado, a las obras *El alba y otras cosas* y *Los muertos, las muertas y otras fantasmagorías.* El volumen rotulado *Lo cursi y otros ensayos* ofrece a su vez estructura diferente, pues si es cierto que en él se recogen los 'Ensayos heterogéneos', primero publicados en *Revista de Occidente,* sus partes más importantes las componen tres amplias teorizaciones, de las cuales merecen mención concreta el 'Ensayo sobre lo cursi' y el trabajo 'Las palabras y lo indecible'. *El alba,* trabajo escrito durante una de sus estancias en París, lo integran los frutos obtenidos de un reiterado y paciente contemplar esa hora augural de cada día; las reflexiones que el espectáculo le sugiere tienen, en ocasiones, el corte de perfectas greguerías, otras son audaces metáforas, paradojas o breves y bien logradas descripciones en las que un escenario, campesino o ciudadano, se retrata con singular perfección. *Los muertos y las muertas,* obra publicada, queda dicho, en 1935 y varias veces reimpresa desde esta fecha con sustancial incremento de su contenido, es libro del que interesa destacar, ante todo, cómo es revelador de la preocupación, obsesiva casi, del autor a partir de cierta hora en su vida por el tema del morir, lo que le convirtió, según parece, en asiduo visitante de cementerios y lector atento de cuanto sobre la muerte y su significado en la vida humana se ha escrito desde los tiempos antiguos hasta nuestros días. Como queda apuntado en un capítulo precedente de este retrato de Ramón, donde hice referencia al contenido de la obra a cuyo comentario retorno, *Los muertos y las muertas* dan testimonio de la orientación senequista que fue ganando primacía en la actitud vital de Gómez de la Serna, identificándole así, más cada día, a una línea de pensamiento con dilatada tradición en España y en la que hacen número, con otros que no cito, Quevedo, Francisco Arias Carrillo y Torres Villarroel. La parte añadida al libro por Ramón en 1942, con el título 'Otras fantasmagorías', es una colección de relatos apenas esbozados y de reflexiones tocantes todas a un mismo tema: el acabarse de la existencia humana en el portal de su muerte. En la obra *Lo cursi,* finalmente, con los ensayos ya nombrados, figura una selección de excelentes descripciones de cosas: las estrellas de mar, los plumeros y el peón; el afilador y su chiflo; la cabeza frenológica, la diosa de los muchos brazos, los bolos, las bolas de cristal y los aldabones.

La greguería, invención ramoniana de la que se ha hecho

repetida alusión, constituye un género literario que ahora se comentará como merece. El particular modo de retratar Gómez de la Serna la realidad, de interpretarla y describírnosla, la greguería en suma, fue hallazgo que hizo suyo en fecha muy temprana de su vida de escritor. Una primera selección de greguerías figura, ya lo he dicho, en las páginas finales de su libro *Tapices* (1913), y a ellas añadió una inicial definición del nuevo género literario. Desde tal época se suceden las ediciones de volúmenes compuestos únicamente de greguerías. El primero, con el título escueto de *Greguerías,* lo edita la Casa Sempere, de Valencia, en 1917; este libro, cubierto por una portada de ajedrezado blanco y negro, recogía, cuenta su autor en *Automoribundia,* "a la par de Greguerías, Caprichos, Miradas, Parecidos y Mentiras, todo lo que había inventado en revistas y diarios en años anteriores y cuya semilla había de fructificar hasta en climas lejanos". Dos años después, la Editorial Calleja publica un segundo volumen de *Greguerías selectas*; en 1926 edita Ramón una nueva selección con el rótulo *Las 636 mejores greguerías*; en 1929 aparecen las *Novísimas greguerías* y cuatro años más tarde el volumen *Flor de greguerías*; en 1940, Gómez de la Serna publica otra selección de greguerías; finalmente, en 1955, la Editorial Aguilar reúne este importante capítulo de la literatura ramoniana con el título *Total de greguerías*; el volumen que nombro, dedicado a Oliverio Girondo, agrupa más de trece mil greguerías; el prólogo que lo encabeza incluye las mejor elaboradas reflexiones del autor acerca de esta modalidad de expresión literaria. La greguería, preciso es declararlo aquí, constituye ingrediente de hallazgo constante en toda la obra de Ramón, incluso en sus novelas, ensayos, biografías y artículos periodísticos; por medio de greguerías Gómez de la Serna realiza, siempre con evidente maestría, igual la descripción de un objeto que de un estado de ánimo, traza el retrato de un personaje o dibuja el perfil de un ser con existencia real, enuncia una máxima y define un principio doctrinal.

Lo que en su realidad significa una greguería, su peculiar composición, los elementos que la integran y el modo como una idea, un sentimiento o una impresión están en ella encarnados se descubre mejor que a través de una disquisición teórica recurriendo a la transcripción de algunos ejemplos; por creerlo así ofrezco al lector una corta selección de greguerías. En un primer grupo se incluyen greguerías que cabe calificar como descriptivas:

"Cuando se ve lo fantasma que es una gabardina es cuando está colgada en el perchero."
"Cuando cae una estrella se le corre un punto a la media de la noche."
"El humo es la prestidigitación del fuego."
"La lechuga es toda enaguas."
"La cabeza es la pecera de las ideas."
"El ciprés es la pluma del paisaje clavada en el tintero de una tumba."
"La guitarra es la maja desnuda y sonora."
"Psicoanalista: sacacorchos del inconsciente."
"Primavera: panderetas de fresa."
"La ametralladora escribe los puntos suspensivos de la muerte."
"Claro de luna: el paisaje en camisa."

Otras greguerías buscan definir o esclarecer el problema de la relación hombre-mujer, sobre el cual, es sabido, ha vivido siempre atada la atención de Ramón; al mismo grupo cabe también sumar las greguerías relacionadas con otros distintos aspectos del existir humano:

"Dormir la siesta es morir de día."
"La mujer lleva collares de miradas."
"El sueño es un depósito de objetos extraviados."
"Nostalgia: neuralgia de los recuerdos."

"Una mujer disfrazada es apetitosa como una croqueta, pero es tan sospechosa como ella."

"La herencia es la última rencilla que deja el muerto entre los vivos."

"Nuestra verdadera y única propiedad son los huesos."

"El amor nace del deseo repentino de hacer eterno lo pasajero."

"El que se casa trata de solucionar con la expiación su deseo de mujer."

"Celos: picor del amor."

"El amor es un hipnotismo como otro cualquiera."

Finalmente, un tercer tipo de greguerías constituyen, con su expresiva brevedad, verdaderas sentencias o máximas, concreción última de un previo y acaso dilatado reflexionar sobre la vida y su significado. Tal condición poseen, a mi juicio, entre muchas que podría citar, las siguientes greguerías:

"El tiempo no es oro: es purpurina."

"Para saber qué es estar solo hay que estar acompañado."

"Si vivir no fuese morir, ¡qué hermoso sería vivir!"

"La felicidad consiste en ser un desgraciado que se cree feliz."

"Muerte: eclipse total de luna y de sol."

"No lo olvidemos: somos el rostro de nuestra futura mascarilla."

"Lo único que hace la vida es echarnos de la vida. Lo hace lentamente o lo precipita con crueldad."

"La propia vida es una rata que se le va comiendo a uno."

Esta tercera selección de greguerías nos descubre el fondo estoico que nutre el pensamiento ramoniano una vez se vio liberado de su doctrinarismo juvenil, y que los años afianzaron más y más a medida que su existencia se iba acercando al acabamiento natural. Mientras las primeras greguerías escritas por Gómez de la Serna eran de texto amplio, discursivas, luego el dominio alcanzado en su redacción le permitió reducirlas y albergar el pensamiento, la idea, sensación o imagen de que cada una se nutre

en.el breve cuerpo de unas pocas palabras; en ocasiones la greguería adopta forma dialogada, tal, por ejemplo, en ésta que
copio:

"—¿Vives?
—Sí.
—¿Mueres?
—Sí.
—¿Entonces?
—Vivo y muero al mismo tiempo, que eso es el vivir."

Descrita, con el auxilio de los textos leídos, la naturaleza de
la greguería, completaré su examen recordando algunas de las
muchas opiniones críticas que sobre tal género literario han sido
formuladas. Empezaré transcribiendo la definición que de la
greguería nos da su creador; en la nota preliminar que encabeza
el volumen primero de sus *Obras Completas* escribe Ramón:
las greguerías "marcan los matices de nuestra vida íntima durante medio siglo...; son las insinuaciones de nuestro tiempo, sus
pequeños asombros, sus sospechas, sus cosquillas, su estado mo-
lecular, sus matices, hasta sus ingenuidades y manías". Las
greguerías, repite en *Automoribundia,* "iban a ser en la España
de frase ancha, de franja lemática, de contextura refranera y
grave, la captación de lo instantáneo, de lo que llamaba la atención sobre el vivir"; en *Nuevas páginas de mi vida* Ramón define la greguería como "cacería ideal para un alma libre y que
no cree en las pequeñeces que son las llamadas cosas grandes".
La más importante teorización hecha por Gómez de la Serna
sobre este género literario se contiene, queda dicho, en el prólogo
por él escrito para la edición de su *Total de greguerías;* allí,
refiriéndose al nombre que lo rotula, confiesa haber aceptado
la palabra 'greguería', hallada casualmente, por lo que ella se

asemeja a algarabía, gritería confusa *, "lo que gritan los seres confusamente en su inconsciencia, lo que gritan las cosas", ya que en su opinión la greguería no es fruto de una reflexión intelectual, sino todo lo contrario, un descubrimiento, el encuentro de algo preexistente. La greguería, literariamente, tendría como misión quebrar la impermeabilidad de la prosa, su monótona uniformidad. Según Ramón las greguerías no son frases más o menos afortunadas, ni tampoco sentencias, ni paradigmas, apotegmas o veredictos; "la greguería, opina, es una mirada fructífera que, después de enterrada en la carne, ha dado su espiga de palabras y realidades". Buscando reducir a fórmula su definición de la greguería la explica así: "Humorismo más metáfora: greguería". Indagando en sus posibles parentescos literarios, Gómez de la Serna encuentra relación entre la greguería, el 'haikai' ("pero es un 'haikai' en prosa") y la 'kasida' ("es una kasida menos amorosa que la kasida"). Sobre el modo de gestarse la greguería también es de interés la confesión ramoniana; las greguerías, afirma, "nunca pueden ser rebuscadas. Hay que esperarlas deambulando o sentados. Ni un paso hacia la imagen", y ello ha de ser así, pues, recuérdese, a juicio suyo la greguería, cuando tal nombre merece, no es producto de la inteligencia; la greguería cabe considerarla fruto de una revelación, hallazgos que las cosas y como ellas los seres humanos y los actos de su vivir, la propia existencia íntima también, permiten realizar a la mirada que atentamente los escruta; por considerarlo así dice Ramón que la greguería "es más de pescador que de cazador". La greguería no sólo ha conferido el rasgo de más acusada origi-

---

* Tal es, permítaseme esta precisión, el significado que el *Diccionario de la Lengua Española* (edic. de 1947) concede al término 'greguería'.

nalidad a la obra ramoniana pues asimismo ha influido, y de modo indisputable, en el destino de la literatura española; esto lo afirma, liberado de anacrónicas falsas modestias, el propio Gómez de la Serna, y lo atestiguan los muchos continuadores, algunos simples plagiarios, que en el cultivo de la greguería ha tenido Ramón; fuera del ámbito cultural español la greguería ha conseguido suscitar también ecos importantes; en Francia e Italia, dos países donde la obra ramoniana fue bastante conocida, la greguería ha sido cultivada dándosele, respectivamente, los nombres de 'criailleries' y 'schiamazzi'. En las más recientes y representativas manifestaciones del humor español Gómez de la Serna encuentra una prolongación del género por él ideado, tal quiere decirnos cuando afirma que "en el complicado y extraordinario fenómeno del 'codornicismo'... la greguería ha logrado sobrepasaciones magníficas".

El propósito de definir y asimismo valorar la greguería, iniciado con el examen de las opiniones suscritas por Gómez de la Serna, terminará de conseguirse recordando, según se prometió, algunos de los criterios formulados por varios de sus comentaristas. Muy pronto, antes de 1920, expusieron su juicio ante la invención ramoniana 'Azorín' y Eduardo Gómez de Baquero; para el primero de ambos "la base de la greguería es la observación escrupulosa, fina, delicada de la realidad"; en opinión de 'Andrenio' las greguerías "tienen muy próximo parentesco con la poesía lírica. Son en el fondo poesías líricas en prosa". Por las fechas en que esto escriben 'Andrenio' y 'Azorín', Gil Fillol define la greguería calificándola de 'cubismo literario'. Para Antonio Marichalar la greguería es 'un estilo' y también un género literario cuya creación la justifica la propia época dentro de la cual nace: "un producto del momento, de ese momento en que el espíritu, desconfiando de las afirmaciones categóricas, se inclina hacia las posibilidades más inusitadas".

Especial interés ofrece el comentario elaborado por Cansinos-Assens; entiende este crítico la greguería como "el reactivo más violento contra todo preparado literario", ante el cual actuaría de 'medio disgregador'; el propósito de la greguería, evidente ya, afirma, en *El Libro Mudo,* es 'libertarse de todo tópico'. Cabría equiparar la greguería a la caricatura; "caricatura moderna, fina, nerviosa, breve, de una irónica y mordiente intensidad...; podría cambiar sus trazos literarios por los del dibujo sin perder nada de su intención ni de su sustancia"; recuérdese, para confirmar esta sugerente apreciación, cómo en ocasiones Gómez de la Serna ha completado el texto de sus greguerías con dibujos, constituyendo casi siempre la representación gráfica elemento fundamental de aquélla. Considera Cansinos-Assens la greguería, y es ésta opinión por muchos suscrita, como el más importante ingrediente de cuantos componen la literatura ramoniana; "la greguería, escribe, ha sido la creación suprema de su autor, la forma en que definitivamente parece haber cristalizado su genio. Desde 1911 acá no ha hecho otra cosa que greguerías, con una insistencia que constituye su mayor peligro. Disfrazada con los títulos de *Variaciones, Disparates,* etcétera, la greguería aparece siempre como su única manera de ver la vida y el arte"; de greguerías, añade, y está en lo cierto, se componen asimismo sus novelas. Según Antonio Porras, la greguería surge como fruto casi obligado del modo, tan peculiar, de encarar Ramón las cosas, seres y hechos que atraen su atención, de su cuidadoso rodearlos "procurando descubrir el ángulo desde el que se goce un nuevo, inédito punto de vista". El mismo año, estamos en 1935, en que Porras formula la opinión leída, Pedro Salinas escribe, refiriéndose al aspecto de la obra ramoniana que nos ocupa: "la actitud del creador de greguerías es una actitud puramente poética, intuitiva, ya que tiende a captar lo indefinible, a retener lo fugitivo"; caracteriza a la greguería, añade, "la instantaneidad y la condensación. La greguería debe ser como una breve revelación súbita que en virtud de un desusado modo de relacionar ideas o cosas nos alumbra una visión nueva de algo"; "lo curioso de la greguería, concluye Salinas, es que reúne en su brevedad poesía y arbitrariedad, realismo e ironía". No podía faltar en esta selección de juicios críticos el de Guillermo de Torre, para quien la greguería es consecuencia de la particular 'visión atomizadora', del 'esfuerzo disociador' tan manifiestos en la literatura de Gómez de la Serna; interpreta Guillermo de Torre la greguería como "una micropsicología que va más allá, en punto a adivinaciones, de la simple intuición poética".

Y para concluir repetiré el comentario que de la greguería ramoniana han hecho Torrente Ballester y Eugenio de Nora. Según el primero de los nombrados, "la greguería es el resultado de una intuición que adivina la singularidad absoluta de los objetos y la expresa en un aforismo por medio de una comparación, de una imagen o de una metáfora sustantiva o adjetiva, destacando ante todo el matiz humorístico del objeto". En opinión de Eugenio de Nora, "lo más peculiar de Ramón... es la 'reconversión' de cualquier género literario —artículo, teatro, biografía, novela— en prosa ramoniana arracimada de greguerías"; ante la greguería, añade buscando desentrañar el proceso intelectual responsable de su génesis, podría pensarse "en las asociaciones mentales de ciertos alienados, o de los niños". Opinión muy semejante, conviene recordarlo, ha sido formulada por diversos críticos ante los más representativos frutos, tanto artísticos como literarios, de la cultura contemporánea. A través de la greguería se ha canalizado el influjo ramoniano, cree Luis

Cernuda, sobre la obra de quienes integran la generación poética de 1925. En reciente diálogo mantenido con José Montero Alonso, Ramón, sin faltar a la verdad, ha podido hacer esta significativa declaración: las greguerías "han sido mi ilusión y mi pan. Gracias a ellas he vivido, he conferenciado, he viajado, he tenido contraseña universal".

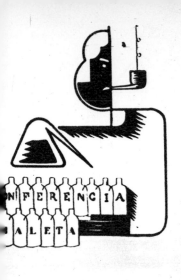

52-55.   CARICÁTURAS DE RAMÓN

56-58. CARICATURAS DE RAMÓN

CAPITULO VII

EL NOVELISTA

El cultivo por Ramón Gómez de la Serna del género novelesco, el más importante capítulo, en volumen, de su obra literaria, interpretado siempre, eso sí, de modo bien personal, lo inicia en los mismos comienzos de su vida de escritor; recuérdese su narración, nunca publicada, *La novela de la calle del Arbol*; esbozos de posibles relatos forman parte de *Morbideces* (1908). La primera novela de Ramón merecedora de este título es *El ruso,* publicada en 1913 en la colección *El Libro Popular* y que bastantes años después incluyó en el volumen *El dueño del átomo*; en opinión de Eugenio de Nora, *El ruso* es "obra en apariencia sencilla, sin pretensiones, pero con una fuerza cordial y de captación ciertamente infrecuentes en Gómez de la Serna...; más que en sí misma, añade el comentarista que cito, esta novelita interesa por mostrar en su germen un Ramón que no llega a florecer: el novelista 'clásico', con ambientación, arranque, conflicto y desenlace, con hechos coherentemente escalonados y conducidos en una acción lineal y sucesiva"; es decir, todo lo contrario de lo que más tarde será la fórmula novelística utilizada por Gómez de la Serna. Factura más afín al genio creador de Ramón ofrece *El doctor inverosímil,* obra publicada en su versión primera, como relato breve, en 1914, en la *Novela de Bolsillo,* con ilustraciones de Bartolozzi; años más tarde Ramón transforma el relato en novela 'grande', pasando a constituir uno de los más originales frutos de su quehacer como creador de ficciones. Al igual que en *Morbideces* también en *Muestrario* (1918), y en su primera parte, con el título 'Nuevos caprichos', se recopila una corta selección de esquemas o esbozos de posibles novelas, algunos bien logrados, tal, por ejemplo, los rotulados 'El baile de las viudas' y 'El santo de piedra'.

Abandonada su inicial preocupación por el teatro, publicadas las obras que empiezan a cimentar su renombre como escritor, prende, y bien hondamente por cierto, en la vocación literaria de Ramón el interés por la creación novelesca; da comienzo este período en 1922, si bien antes de tal fecha había publicado ya su primera novela importante, *La viuda blanca y negra.* En su labor de novelista cabe deslindar tres períodos; el primero, el más importante, se extiende de 1922 a 1924; el segundo abarca los años comprendidos entre 1927 y 1931; el tercero se inicia en 1932 y llega hasta 1961, fecha de edición de su última novela.

Gómez de la Serna, hombre, como escritor, siempre propicio a la desmesura, se consagra a crear literatura de ficción con ardor semejante al mostrado, años antes, por el género teatral, y así como entre 1909 y 1912 no hizo otra cosa que dramas, y en elevado número, ahora, de 1922 a 1924, sólo escribe novelas; en estos tres años edita, en el primero, *El secreto del Acueducto, El Gran Hotel* y *El incongruente;* en 1923 *El novelista, El chalet de las rosas* y *La quinta de Palmyra,* y en 1924 *Cinelandia;* a la lista ha de sumarse *La viuda blanca y negra,* obra ya citada, y la versión definitiva de *El doctor inverosímil* (1921); añádase a esta relación, para completarla, un volumen de novelas cortas, *La malicia de las acacias* (1924) y dos colecciones de cuentos infantiles: *En el bazar más suntuoso del mundo* y *Por los tejados,* ambas editadas en 1924; *La malicia de las acacias* reúne relatos en su mayoría publicados en *La Novela Corta.*

El doctor inverosímil, obra dedicada a Bartolozzi, Bergamín y José Calleja, se compone de una relación de supuestos casos clínicos tratados, con recursos bien originales a decir verdad, por el doctor Vivar, héroe de la ficción; la novela carece de argumento. Por su tema constituye un excelente testimonio de la capacidad anticipadora de su autor; con toda razón ha podido escribir Ramón en el prólogo a su segunda edición que el libro lo ideó cuando "no se conocía aún en España, fuera de algunos especialistas de la Psiquiatría que leían en alemán, el nombre y la doctrina de Freud, y la alergia y sus derivaciones eran mucho más desconocidas". He de advertir que la doctrina que fundamenta las fabulosas curaciones del doctor Vivar es una mezcla del psicoanálisis y la creencia de que buen número de enfermedades son ocasionadas por la acción, diríase alérgica, sobre quien las padece, de los más dispares objetos de su mundo próximo. Entre los pacientes que Ramón hace acudir al doctor Vivar los hay, aunque contados, con existencia real, tal, para citar un único ejemplo, el poeta Juan Ramón Jiménez. Según Eugenio de Nora con *El doctor inverosímil* queda comprobado cómo "por el camino del más absurdo y juguetón humorismo se acerca Ramón, a veces, a hondas y penetrantes captaciones psicológicas". Yo diría que Gómez de la Serna ha sido con esta novela en España, y posiblemente también en Europa, el primero en convertir en tema literario el trascendental hallazgo científico del psiquíatra vienés, cuya obra, es sabido, había de ejercer hondo influjo en la literatura y el arte durante la postguerra del primer gran conflicto bélico del siglo. En *El doctor inverosímil* su autor nos ofrece un documento que prueba su interés por el problema del enfermar humano; es excelente la interpretación que hace de los Rayos X y también, para nombrar otro ejemplo, su descripción de un caso de parálisis general; la preocupación de Ramón por otros concretos modos de enfermar tiene asimismo confirmación en el texto del libro que comento.

De las novelas escritas por Ramón en el período que concluye en 1924, buena parte de ellas cabe agruparlas por la semejanza de los temas que narran; son éstas *La viuda blanca y negra, El Gran Hotel, El chalet de las rosas, El secreto del Acueducto* y *La quinta de Palmyra*. En todas lo que puede considerarse nudo argumental, desarrolla, con ligeras variantes en cada una, el problema de la relación hombre-mujer, cuestión ésta, lo sabe el lector, que venía preocupando desde su mocedad a Gómez de la Serna y cuya primera interpretación literaria la realizó en el cuerpo de su obra dramática. *La viuda blanca y negra* describe el proceso de seducción de Rodrigo por una supuesta viuda, Cristina; ambos personajes, cuya relación carnal da tema a la novela, son en todo momento esclavos de sus apetencias instintivas; el mundo ficticio en que los sitúa su creador hace posible esta completa entrega a la sensualidad que los gobierna y une, libres tanto de ataduras morales como de convencionalismos sociales; en el relato a que aludo, e igual sucede en las restantes novelas de Ramón, el autor lleva a cabo una previa deshumanización de sus criaturas hasta convertirlas en simples muñecos a merced por entero de los impulsos más elementales. La interpretación pansexualista de la existencia humana elaborada por Sigmund Freud encuentra cabal justificación en el mundo novelesco ramoniano, del cual Rodrigo y Cristina son figuras arquetípicas que veremos cobrar de nuevo vida, con distintos nombres pero idéntico perfil, en muchos de los restantes relatos de Gómez de la Serna.

El problema humano utilizado como argumento en *La viuda blanca y negra* es vuelto a elaborar en *El Gran Hotel*, novela donde se relatan las aventuras eróticas de Manuel Quevedo, abogado de profesión, que dilapida en pocos días una inesperada herencia haciendo vida de gran señor en un lujoso hotel ginebrino. Asistimos en el libro que cito a las fáciles conquistas que el héroe ramoniano, típico donjuán, realiza, y en las que resulta más veces seducido que burlador; no hay en aquellos lances amor pasional o enfervorizado cuando menos, todo se reduce a simple y siempre fácil goce carnal, saciado con urgencia, sin resistencias ni reproches, sin necesidad de someter prejuicios morales; Manuel Quevedo y las mujeres que en aquellos días se interfieren en su vida, presos por idéntico afán, protagonizan escenas, tema único de la novela, cuya explicación se logra con una directa alusión a concretos impulsos biológicos. Como *La viuda blanca y negra,* al igual también que otras narraciones de Ramón que han de citarse, *El Gran Hotel,* según opinión de Eugenio de Nora, es una visión del desengaño erótico; su trayectoria argumental, añade este crítico, "pese al considerable enredo de algunas aventuras, es extremadamente sencilla: una revista —uniformemente negativa— de experiencias apenas amorosas, más bien monocorde y tristemente sexuales"; esta interpretación de la mujer como simple objeto para la satisfacción instintiva del varón, que se reitera a todo lo largo de la obra novelesca ramoniana, descubre en su creador una cierta incapacidad para la entrega amorosa, para vivir y entender lo que el amor puede llegar a ser; la razón explicativa se encuentra, a mi juicio, en la personal experiencia erótica de Gómez de la Serna, relatada, y en detalle, por él mismo, que le privó de conocer el verdadero amor diferenciado de hombre a mujer hasta su encuentro, ya tardío, con Luisa Sofovich.

Una versión humorística de Landrú, bastantes años anterior a la conocida interpretación hecha por Charlot en "Monsieur Verdoux", la realizó Ramón en su novela *El chalet de las rosas,* a la que sirve de escenario la Ciudad Lineal madrileña; en otro aspecto, este relato significa una reelaboración de la popular novela folletinesca. Por lo que atañe a la interpretación ramoniana de la mujer, *El chalet de las rosas* confirma lo que es patente en las obras ya examinadas; para don Roberto, protagonista del relato que menciono, la mujer es mero instrumento al servicio de sus personales apetencias; el toque diferencial lo presta la codicia que también domina al personaje induciéndole a deshacerse de las mujeres que seduce en la truculencia final de un asesinato; resulta reveladora la siguiente reflexión que se lee en la novela: "Don Roberto daba término al cansancio y a la repugnancia de la mujer con el crimen; hasta en la dicha, había derecho a defenderse de esa monotonía que carga, de ese revés insignificante y letaniesco, con repetidas y repetidas confidencias". El planteamiento de la relación del hombre con la mujer, según el esquema ya usado por Ramón para elaborar los relatos descritos, torna a ser utilizado por él en la ideación de *El secreto del Acueducto,* novela que dedicó a José Ortega y Gasset, y en la cual, y ello le confiere cierta novedad, se da mayor importancia al escenario de la acción, Segovia, ciudad bien conocida por Gómez de la Serna, de cuyo ámbito hace excelente pintura; los personajes poseen también individualidad más acusada, en especial el héroe de la narración, don Pablo, quien, urgido por imperativos carnales, une su vida a la de su sobrina para acabar representando el papel de marido burlado. Cuando relata el íntimo vivir de su criatura, deduciendo de su ejemplo una reflexión generalizadora, dice Ramón: "La sexualidad es la vida. No vale hacerse los disimulados". Esta conclusión, ahora confesada, podría haberla formulado ante el ejemplo de sus anteriores novelas. Por su parte don Pablo, viviendo el sórdido epílogo de su tardía aventura matrimonial, a las puertas del desquiciamiento mental que pondrá fin a su existencia, ela-

59-62. CARICATURAS DE RAMÓN

63-64.   CARICATURAS DE RAMÓN

65.   "RAMÓN DE CUERPO PRESENTE". *Dibujo de Bagaría*

66. PORTADA DE "LA UTOPÍA"

IA VTOPIA — RAMON·GOMEZ·D·LA·SERN

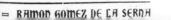

L LABERINTO
= RAMON GOMEZ DE LA SERNA

67. PORTADA DE "EL LABERINTO"

L TEATRO EN SOLEDAD °°°
DRAMA EN TRES ACTOS POR RAMÓN GÓMEZ DE LA SERNA

EL TEATRO EN SOLEDAD

**DRAMA EN TRES ACTOS, por
RAMÓN GÓMEZ DE LA SERNA**

*A Eugenio Noel, porque sí, y porque comprende
este drama por toda la soledad vibrante que vivió
aquel sótano con ratas y filtraciones en que fui el p[r]i-
mero en conocerle hace años, una magnífica soledad,
la que aún conservo el pánico y los augurios, y que
mantendrá alto y afilado si sólo deduce de ella y de
negro, toda su videncia y toda su excepción, salvándo[se]
á la flaqueza de coincidir con nadie...*

°°°

68-69.   PORTADAS DE "TEATRO
EN SOLEDAD"

El Lunático.

□ □ DRAMA EN UN ACTO
por Ramón Gómez de la Serna.

*A Ismael Smith, que ha dibujado el
antifaz sobre muchos rostros, como tran-
sido por su belleza rigurosa y bastante,
por su terciopelo negro, por su dramática
ninfomanía y por su sésamo incomparable.*

PERSONAJES

EL ANTIFAZ.
EL LUNÁTICO.
EL BUSTO DE LA BELLA DE LAS MANOS DEL VERROCCHIO.
LA ANCIANA DE AIRE NOBLE.
LA JOVENCITA MÍSTICA.
EL CONTRISTADO.

70.   PORTADA DE "EL LUNÁTICO"

bora una sentencia muy semejante a la que acabamos de escuchar a su creador, sólo que la suya incluye una depresiva moraleja: "Toda historia humana... es historia de perros".

En *La quinta de Palmyra,* novela dada a conocer, primero, fragmentariamente, en la revista *La Pluma,* Ramón se sirve de un argumento que recuerda al desarrollado en *El Gran Hotel.* También en *La quinta de Palmyra,* y dentro de un reducido escenario, ahora una solitaria finca campestre, en la costa portuguesa, la heroína del relato, Palmyra Talares, contrafigura de Manuel Quevedo, vive las sucesivas experiencias eróticas a que le empuja su temperamento; la novela no es sino la crónica de unas fáciles seducciones en las cuales la peculiar situación de quienes las protagonizan, la ausencia en todos de represiones éticas o frenos sociales, priva a los sucesos de dramatismo y hasta de anécdota; en ésta como en tantas otras novelas de Gómez de la Serna, la colocación de los personajes en mundos irreales donde las normas habituales de la convivencia han sido de antemano escamoteadas, anula en aquellas criaturas de ficción los elementos que podían conferirles humanidad; los personajes ramonianos son figuras que se pliegan dócilmente a la voluntad de su creador, para quien, tornaré a decirlo, la única finalidad buscada parece ser la de ejemplificar con tales existencias ficticias su personal manera de entender la relación entre los sexos, reduciéndola a mera satisfacción mutua de apetencias carnales. Las criaturas a las que da vida Ramón, hombres o mujeres, carecen por completo de dimensión psíquica, de intimidad; incluso su individualidad biológica aparece reducida al funcionalismo, hipertrofiado desde luego, de unas pocas glándulas. Palmyra Talares, como Manuel Quevedo, son perfectos ejemplares del más extremado donjuanismo; ambos discurren, siempre insaciados, de una a otra

peripecia sexual; uno y otra lo ignoran todo del amor, por
ellos identificado con su más primaria e inespecífica manifestación. La condición donjuanesca de Palmyra, concretamente,
queda reafirmada cuando en los últimos episodios del relato que
protagoniza cree haber hallado en otra mujer el objeto perfecto para saciar su sensualidad. En *La quinta de Palmyra* se concede especial importancia, hasta el punto de convertirlo en un
personaje más, y no secundario, de la narración, a la quinta
donde vive recluida la heroína y al paisaje que la rodea; esta
casa y su contorno son la estampa literaria compuesta por Gómez de la Serna para retratar su refugio 'El Ventanal' de Estoril, en el que quiso, lográndolo sólo por breve tiempo, en-
claustrar su existencia de escritor.

Diferente interpretación ha de hacerse de *Cinelandia*, novela editada, queda dicho, en 1924, y en la cual Gómez de la
Serna emprende, bien tempranamente por cierto, el empeño, a
mi juicio logrado, de reproducir el mundo de los hombres y
mujeres que habitan la 'ciudad del cine', ámbito ciudadano
donde a diario la realidad es enmascarada y suplantada por los
escenarios que allí se alzan y las existencias que en ellos se hace
vivir. En una bien armonizada sucesión de escenas Ramón
obliga al lector de *Cinelandia* a penetrar en el singular ambiente de la ciudad mientras va presentándole a quienes la pueblan.
En la novela sus personajes y los sucesos, grotescos o dramáticos, que protagonizan, están subordinados al propósito del
autor de describir una particular y extrema forma de coexistencia, donde lo real y lo imaginario se entremezcla hasta resultar
difícil establecer una frontera entre ambos planos; uno de los
momentos en que tal propósito está mejor conseguido es aquel
donde se nos presenta el manicomio de Cinelandia, habitado
por los actores que no pudieron un día desprenderse del papel

que representaban ante las cámaras y fueron por ello separados de la convivencia y en el manicomio consumen su vida olvidados de quienes en realidad son. Este figurado mundo en el cual, como en los ámbitos, más confinados, que sirvieron a Ramón de escenario para sus anteriores ficciones novelescas, se vive libre de toda imposición social o ética, se le antoja a su creador anticipo de lo que el mundo real podrá ser un día; tal parece decirnos Gómez de la Serna al escribir: "Todo ha llegado a suceder en Cinelandia como llegará a suceder alguna vez en el mundo"; quienes habitan la ciudad, añade, "son seres libertos, en perpetuo domingo, teniendo sólo que conservar la agilidad de sus movimientos, su franca espontaneidad". Posiblemente lo que Ramón quiso afirmar es que la sociedad de los humanos constituiría una gigantesca 'cinelandia' si todos, hombres y mujeres, rompiesen, como lo hacen los personajes de su novela, con las normas impuestas por la convivencia, olvidando principios morales, costumbres y prejuicios; entonces, en el mundo entero, al igual que en Cinelandia, se anhelaría sólo el goce inmediato, los actos no se inspirarían en principios sobrehumanos ni aspirarían tampoco a conseguir meta alguna. No deja de ser en cierto modo lógico, comprensible cuando menos, que quien escribió un día *El Libro Mudo* concluyera ofreciendo en *Cinelandia,* en lo puramente literario una magnífica novela, la imagen ideal de una sociedad donde la ficción suplanta a la realidad, los instintos se muestran en todo su brutal egoísmo, se aspira a ignorar la existencia de la injusticia, el dolor y la muerte, y el absurdo triunfa sobre la razón.

En 1922 Ramón Gómez de la Serna publicó uno de sus más originales relatos, *El incongruente,* del que dijo, al siguiente año, en su primera autobiografía, "abría un nuevo camino en la tramazón novelesca y... era la primera novela de la fantasmagoría pura y desternillada"; *El incongruente* es el inicial testimonio de un modo nuevo, y muy personal, de entender el género novelesco, que Ramón tornará a elaborar en uno de los episodios de *El novelista* y años después en *El hombre perdido,* primera de sus novelas 'de la nebulosa'. *El incongruente,* publicado en versión francesa, enriquecido con nuevos capítulos, en 1927, es considerado por su autor el más innovador de sus relatos, escrito, se cuida de apuntar, cuando "no había Kafka ni kafkismo pues Kafka muere en 1924 y hasta 1926 no aparecen en su idioma sus primeras obras".

Si pretender reducir a esquema el argumento de cualquier novela de Gómez de la Serna resulta siempre empresa dificultosa, tal propósito es inalcanzable en *El incongruente,* donde todo el relato es una literal acumulación de hechos acaecidos al protagonista, Gustavo, que se entremezclan con intentos reiterados de penetrar en su intimidad. *El incongruente,* al igual de lo que ocurre en todas las novelas de Ramón, combina lo puramente imaginario, fruto de su rica fantasía, con datos y elementos autobiográficos. De la existencia de Gustavo su creador concede máxima atención a los episodios eróticos por él vividos; a cubierto de toda necesidad, en posesión, gratuita, de cuanto la sociedad puede exigirle en pago a la satisfacción de sus caprichos, Gustavo está en situación propicia para consagrarse por entero a los fugaces encuentros que le permiten ir saciando su instinto; la semejanza, la hermandad entre Gustavo, Palmyra Talares y Manuel Quevedo es innegable; estos tres personajes, como, puede añadirse, tantas otras criaturas ramonianas, son simple desdoblamiento, con distinto nombre. incluso con sexo diferente, de una única figura humana, en la cual no es difícil reconocer la estampa íntima de quien a todos dio vida; permítaseme citar un único ejemplo para confirmar tal identidad. Gustavo, 'el incongruente', abogado sin ejercicio como Manuel Quevedo, igual que Ramón, a semejanza de su creador reduce su ideal de vida a conseguir para su existencia la compañía de una mujer que de mujer posea tan sólo lo que la individualiza sexualmente, y acabará creyendo que el ideal femenino bien puede encarnarlo una muñeca de cera; así como Ramón deseó poseer, y lo tuvo, un maniquí para contar con su silenciosa compañía, al que gustaba adornar con vestidos y joyas, "el ideal de Gustavo, cuenta quien le creó, era una muñeca de cera, poder tener sentada en un diván la mujer silenciosa y fiel, con sus cabellos naturales y suaves, cabellos auténticos, que le darían toda la verdad". Lo nuevo en *El incongruente* no es el talante del protagonista ni las incidencias de su imaginada existencia; lo nuevo es el modo de estar relatado lo que en la novela se cuenta, el radicalismo con que se ha cumplido la suplantación de lo plausible por lo perfectamente irreal, la pura incongruencia de los sucesos narrados y también su sucesión temporal; todo ello hace del relato un perfecto ejemplar de literatura de evasión, como lo es también, bajo otra forma, *Cinelandia*.

El barroquismo de la prosa ramoniana, su arte para acumular, en cada descripción, las más audaces metáforas, la constante utilización de la greguería para reseñar estados de ánimo, dibujar el perfil de los personajes o narrar lo que acaece, contribuye, y en buena medida, a lograr la singular apariencia de esta novela; en estos elementos radica, de otra parte, y lo que digo es válido para el total mundo novelesco de Gómez de la Serna, el poder de tales ficciones para alejar al lector, a medida que se adentra en su conocimiento, de su mundo habitual hasta llegar a considerar inadecuado su sistema de valores para enjuiciar el ficticio mundo que en tales relatos se le presenta. Para Rivas Cherif *El incon-*

gruente "señala un paso decisivo hacia la novelación de la greguería"; en opinión de Benjamín Jarnés la novela de que hablo es un "delicioso torbellino de aparentes absurdos, donde fueron rotos todos los lazos que es posible romper a la verdadera inteligencia"; según Eugenio de Nora, el mejor comentarista de la obra novelesca de Ramón, en *El incongruente* se llega a "una final saturación del sentimiento del absurdo —absurdo no trágico, como en el existencialismo, sino cómico, pero de una comicidad triste, gris, disolvente—, una conciencia impregnada de la nulidad, insignificancia y ausencia de sentido de todo: seres, pasiones, pensamientos, hechos: azar sin nombre". Se ha llevado en *El incongruente,* en suma, a sus últimas consecuencias, unas deducciones que se dejan entrever ya en *La viuda blanca y negra,* y como en esta novela en *El Gran Hotel, La quinta de Palmyra* y *El secreto del Acueducto*; es decir, en cuantos relatos Ramón quiso describir la relación entre los sexos elevándola a finalidad única de la existencia, al tiempo que la despoja de todo ingrediente espiritual, dejándola reducida, por tanto, a simple cuestión de apetencias, acto en el que sus protagonistas se encierran en sí mismos rehuyendo la entrega y el sacrificio. Aun a riesgo de pecar por reiteración, deseo repetir que el forjamiento de tan singular mundo novelesco tiene su justificación si lo encaramos desde la personal existencia de su creador, iluminándolo con el ejemplo de sus propias experiencias de varón siempre inquieto.

El más importante relato de Gómez de la Serna es, sin disputa, El *novelista,* obra dedicada a Valéry Larbaud y que dio a conocer, antes de editarla en volumen, en la revista *La Pluma.* *El novelista* es la novela de sí mismo, de Ramón cumpliendo su cotidiano quehacer de forjador de ficciones; el autor reencarna aquí en la figura de Andrés Castilla. La novela se compone de diversos relatos, entre sí independientes, cuyos episodios se entremezclan caprichosamente; se titulan estos relatos 'El barrio de doña Benita', 'Cesárea', 'El farol número 185', 'La criada', 'La moribunda', 'Pueblo de adobes', 'Lo inolvidable', 'El adolescente', 'El león de oro', 'El inencontrable', 'Las siamesas', 'El biombo' y otros varios, apenas esbozados, cuya mención omito. Una de tales narraciones, 'El inencontrable', Ramón la reeditó en 1925 como novela breve; otro de los relatos incluidos en *El novelista,* 'La novela de la calle del árbol', recuerda, en su título, el primer ensayo novelesco realizado, siendo todavía un niño, por Gómez de la Serna.

En varios capítulos de *El novelista* acompañan los lectores a Andrés Castilla en su búsqueda, afanosa, de argumentos para nutrir su quehacer creador; en otras ocasiones se nos permite asistir a las entrevistas que sostiene con personajes a quien él concedió vida. A su valor propiamente literario, indisputable, suma la obra en examen el ser documento que permite conocer el modo de idear y hacer realidad Ramón sus ficciones novelescas. Ante sus criaturas, la actitud de Andrés Castilla, la de Ramón por tanto, es peculiar: "Yo no las creo, nos dice...; yo las encuentro y comienzo a contar con ellas como seres verdaderos y auténticos... Desde el principio hasta el fin, mis novelas fantásticas son verdaderas." Del modo absorbente con que Ramón cumple su quehacer de novelista es buen testimonio la siguiente confesión de Andrés Castilla para quien el mundo quedaba convertido en los 'días no novelables', es decir, aquéllos en que perdía su capacidad creadora, "en un mundo en que se vive y se muere, nada más, escuetamente sólo en eso". Sobre la manera de entender el género novelesco y dar realidad a sus creaciones, la opinión de Andrés Castilla merece también ser citada: "Siempre se había discutido la novela y se la había querido hacer gran obra de construcción como un puente que fuese al mismo tiempo escala de los cielos. El no entendía de eso. El se dejaba llevar por el más sigiloso de los guías y no se proponía ni se decía nada... El seguía en su barca por los subterráneos del mundo y sólo estaba entregado a la fidelidad de su imaginación. Lo que no tenía era técnica, aunque se reconociesen sus novelas por algunas repeticiones y por un aire arbitrario que quería decir que estaban fuera de todo círculo." La idea inicial que pone en actividad su capacidad de creación y acaba dando vida a una novela, puede ser en Ramón, los relatos que incluye *El novelista* lo confirman, diversa; en ocasiones, así en 'La novela de la calle del árbol', el motivo lo constituye un rincón ciudadano, una calle, de la que incluso traza su plano, que luego puebla de personajes; en otro de sus relatos, 'El farol número 185', el protagonista es un farol callejero al que hace rememorar lo que cada noche sucede bajo el círculo de su luz; en otras narraciones el motivo inspirador radica en una concreta figura humana, hombre o mujer, o bien en una colectividad ligada, en su existencia común, a un determinado paisaje, tal como sucede, por ejemplo, en 'Pueblo de adobes'. A juicio de Eugenio de Nora, única opinión crítica que aquí recordaré, *El novelista* es "la obra maestra de Ramón"; en ella, añade, se destaca y cobra su completo volumen "la realidad viviente que lo define y profundiza, hasta hacer de él una formidable presencia..., su fabulosa actividad de escritor, su continuo tejer vidas y episodios imaginados, su fiebre de creación. La novela resulta así un impresionante, revuelto, cálido cosmos en formación..., cosmos alimentado por la impetuosa y espectacular pasión fecunda del personaje-novelista".

Pasarán tres años, a partir de 1924, fecha de edición de *Cinelandia,* antes de que Ramón reanude su labor de novelista;

71. PORTADA DE "SENOS"

72. GRABADO DE "SENOS"

73. PORTADA DE "TAPICES"

en este intermedio publica varios relatos breves, en *Revista de Occidente* de preferencia. Retorna a la novela 'grande' con dos obras: *El torero Caracho* y *La mujer de ámbar,* ambas editadas en 1927; al siguiente año publica *El caballero del hongo gris* y dos años después *La Nardo,* obra escrita en París, donde Gómez de la Serna ha buscado refugio tras el accidentado estreno de *Los medios seres,* huyendo de la peripecia erótica que aquellos días protagonizó y el lector conoce ya. Por los mismos años Ramón reúne en volúmenes parte de su copiosa producción de narraciones cortas; publica ahora *Seis falsas novelas* (1927), *El dueño del átomo* (1928) y *La hiperestésica* (1931).

De *El dueño del átomo* ofrece interés, por su carácter anticipador, el relato que presta título al volumen; en él, escrito, tómese nota, en 1928, Ramón convierte en tema novelesco la desintegración atómica narrando los experimentos del personaje don Alfredo, quien previendo las consecuencias de la aventura científica emprendida, alude a su inconcebible poder 'desmaterializador' y a sus efectos sobre el vivir humano. *La hiperestésica,* excelente estudio de una personalidad histérica, es relato que da nombre a otra colección de novelas cortas. Mención especial merece el volumen rotulado *Seis falsas novelas,* espléndido testimonio de la capacidad creadora de Gómez de la Serna; se imitan en estos relatos, que primero fueron publicados en *La Novela Corta* y en la *Revista de Occidente,* el clima y los tipos humanos que Ramón considera, y acierta, creo, en la interpretación, peculiares de ciertos mundos, unos exóticos y otros extraños al español; en opinión del propio Ramón la 'falsa novela', modalidad del género novelesco del que se considera con pleno derecho creador, y por nadie, que yo sepa, continuada, es "otra cosa que la novela falsa o que la falsificada"; constituye, a mi juicio, fruto de un proceso bien original de recreación; según la acertada valoración crítica que de tales relatos hace Eugenio de Nora, las 'falsas novelas' de Gómez de la Serna no pueden considerarse como "imitaciones amaneradas que subrayen sólo, unilateralmente, el aspecto falso, convenido y pseudotípico de los presuntos modelos: el contenido 'falso', el calco aproximado, en la temática o en el desarrollo argumental, de las posibles novelas 'auténticas', sirve ante todo de esquema o cañamazo para el exquisito y asombroso bordado literario, típicamente ramoniano".

La primera de las novelas 'grandes' antes citadas, *El torero Caracho,* escrita por Ramón durante su estancia en Nápoles, está dedicada a Miguel Moya y Gastón y constituye la contribución de Gómez de la Serna a la llamada fiesta nacional; en ella cobran vida dos singulares personajes, perfectamente trazados, los toreros 'Caracho' y 'Cairel', en torno a los cuales hace pulular un nutrido mundo de figuras menores. Las descripciones que se hacen en la novela de varias corridas pueden incluirse entre las mejores páginas escritas por Ramón. La corrida 'patriótica' organizada, se nos dice, para sufragar un empréstito de guerra, la enjuicia con estas palabras: "La inconsciencia que lleva a toda guerra resplandecía en la tarde. Parecía que en aquella corrida se iba a cubrir el espantoso presupuesto. Apenas se sabía el sitio de la guerra, lo que se iba a perder ni el poder del enemigo. Una vez más España iba a la guerra como en respuesta a un grito ¿A que no te atreves a salir aquí en medio?" Tan tristemente veraz como el testimonio leído es esta referencia a la emoción que en todos produce la muerte del torero: "La verdad es que todos asistían siempre a una fiesta y a una ejecución. No había, pues, que extrañarse tanto. Aquel público que iba a ver quemar herejes y que era coro innumerable de las ejecuciones y fusilamientos, iba con la misma curiosidad a la plaza, cadalso disimulado del torero borracho." En *El torero Caracho* Ramón convierte en personaje multitudinario del relato al pueblo madrileño que tan bien conoció; el conjunto, no podía ser otro, compone una estampa crítica de la sociedad española. Acierta Valbuena Prat al calificar esta novela de "continuación, en parte, de la técnica anecdótica y pintoresca de la generación del 98 —de un Baroja sobre todo—, sobre la cual —en acción continuada— se alzan la gracia de la greguería y las figuras de muñequería comicotrágica de los personajes"; en *El torero Caracho,* a diferencia de la restante obra novelesca de Ramón, opina Eugenio de Nora, "todo desde el arranque, tiene... sabor y olor persistente de humanidad cruda, espesa: hombres, hembras y multitudes soleadas y exacerbadas, coro y acicate del duelo solitario entre el muñeco trágico y la fuerza bruta".

La mujer de ámbar, resumen de sus impresiones de Nápoles, la escribió Gómez de la Serna al regreso de una estancia en la gran ciudad mediterránea, donde pensó hallar como Lorenzo, el héroe del relato, "refugio bondadoso y último para su pereza de vivir". Como Segovia en *El secreto del Acueducto* y el paisaje atlántico portugués en *La quinta de Palmyra,* Nápoles, en *La mujer de ámbar,* sobrepasa su condición de escenario para la trama novelesca hasta adquirir categoría de personaje en la misma; su estampa ciudadana, el multiplicado retrato de sus habitantes, su mar y su cielo, están presentes en cada página del relato. Lorenzo en Nápoles, donde halla el clima de incitaciones que su cuerpo reclama, vive, con plenitud, una aventura amorosa a la que pone trágico fin la muerte, voluntariamente buscada, de Lucía, la mujer en la que Lorenzo creyó haber hallado el ser capaz de imponer calma en su mundo interior erizado de deseos; en este aspecto *La mujer de ámbar,* como *La viuda blanca y negra,* supone un nuevo intento de Ramón para adentrarse en la intimidad de la mujer utilizando el recurso de imaginar un personaje femenino apto para tal empresa.

La donjuanesca búsqueda del placer por la conquista de mujeres fáciles de las que le atrae sólo su condición de tales, mezclada con la realización de fantásticos proyectos bursátiles y burdas estafas, componen la personalidad de otro héroe ramoniano, Leonardo, protagonista de *El caballero del hongo gris*; su creador hace discurrir la brillante existencia de este personaje por los escenarios ciudadanos de Madrid y Barcelona, París y Lisboa, Londres, Génova y Roma; es Leonardo arquetipo del conquistador que sabe armonizar sus necesidades de varón con afanes de lucro y de dominio, poniendo al servicio de estos propósitos, con igual eficacia, su amoralismo, la prestancia de su porte y una inagotable fantasía equiparable a la del clásico pícaro. Distingue a Leonardo de otras criaturas ramonianas, semejantes a él por su apariencia, la reiteración con que gusta teorizar sobre el ejemplo de su vida; rasgo también distintivo de la novela es la riqueza y variedad de los episodios que en ella suceden, aspecto éste más llamativo si recordamos la ausencia de acción que evidencian casi todas las novelas de Gómez de la Serna. La postura vital que Ramón hace adoptar a Leonardo queda dibujada en la siguiente afirmación hecha refiriéndose al personaje: "el mundo se aprestaba a ser comido por su apetito, y perder tiempo era un cargo de conciencia"; el propio Leonardo se dice a sí mismo: "Tú, anda siempre adelante... avanza con ese tipo salvaje y no te detengas a pensar lo que vaya sucediendo."

Con *La Nardo* Gómez de la Serna torna a recrear el ambiente popular madrileño convirtiéndolo ahora en escenario para la existencia de una mujer todo instinto, Aurelia 'la Nardo', en quien reencarna la idea que de la mujer, simple hembra, tuvo durante muchos años Ramón; tal criterio le induce a poner en boca de la propia heroína esta significativa afirmación: "Las mujeres sólo son fiesta." El hecho de que *La Nardo* fuese escrita a raíz del episodio vivido por Ramón con la hija de Carmen de Burgos, y asimismo el que su protagonista parezca reencarnación de la figura femenina central de 'La saturada', relato donde la alusión autobiográfica está confirmada, inducen a suponer, con suficiente verosimilitud, que en la novela ahora objeto de comentario su autor incluye si no sucesos reales sí cuando menos impresiones por él vividas.

La tercera etapa en la labor de novelista de Gómez de la Serna, menos rica en frutos que las precedentes, da comienzo en 1932 con la edición de *Policéfalo y señora,* y se prolonga hasta 1961, año en que publica *Piso bajo.* Entre ambas fechas Ramón escribe ¡*Rebeca*! (1936) y *El hombre perdido* (1947), *Las tres gracias* (1949), un volumen de relatos titulado *El cólera azul* (1937), las 'novelas superhistóricas' (1942) y el tomo de *Cuentos de fin de año* (1947) *. Preciso es destacar el alejamiento de Ramón, en los últimos treinta años, del género literario por él tan cultivado en el decenio precedente; durante este período realizará casi por entero su importante labor como biógrafo e historiador de la vida literaria española de nuestro siglo; a la misma época pertenecen asimismo sus libros de recuerdos. Juzgando las novelas escritas por Gómez de la Serna desde 1930, afirma Eugenio de Nora que en ellas se pone de manifiesto el proceso de reiteración y disolución del relato ramoniano; "nutrido siempre de la misma sustancia literaria, escribe el comentarista nombra-

---

* El volumen *Cuentos para los días de no salir de casa,* que Ramón cita como publicado en Barcelona en 1956, no ha sido hasta el presente editado.

do, entra consecuentemente en una etapa reiterativa hacia la década del 30; incluso las novedades que algunos de sus libros aportan, sobre ser técnicas y de procedimiento más que de fondo, representan una disolución, un abandono a la anarquía instintiva, dentro de los antiguos moldes de la mentalidad y sensibilidad ramoniana; retroceso, pues, a la *nebulosa* —según la expresión empleada por el autor mismo—, más bien que reestructuración verdadera, o —menos— imposible novedad".

La colección de relatos rotulada *El cólera azul* reúne varias de sus últimas contribuciones a diversas revistas, encabezándola la novela breve que da título al volumen, dada a conocer en 1932 en la *Revista de Occidente*. Los *Cuentos de fin de año* es una agrupación de narraciones aunadas por su tema, y varias de ellas nutridas de nostálgicas remembranzas. Con las 'novelas superhistóricas' Ramón ensaya, como hizo al escribir las 'falsas novelas', una modalidad nueva del género novelesco; constituye la 'superhistoria', según la entiende Gómez de la Serna, mezcla de lo que nunca sucedió con lo que realmente acaeció un día, de acuerdo con un arbitrio que denomina 'ley del todo sucedido e insucedido'; ello, opina, permitiría descubrir la verdad del pasado de modo más efectivo que por la indagación documental; la superhistoria, añade Ramón, "construida sobre datos históricos subconscientes —la supermemoria atómica—, aprovecha que nuestra fotocélula esencial ha vivido todos los tiempos desde el minuto inicial del hombre en el mundo". La superhistoria, repite buscando aclarar mejor su hallazgo, "es, como todo lo que se destaca en la vida, una superchería fantasmagórica, una infidelidad perpetua de los acontecimientos, un increíble ser y no ser". En realidad, todo se reduce a una poética recreación del pasado, liberada de las normas que imponen cauce y método en el auténtico relato histórico; así se entiende esta doble afirmación del autor: "escribiendo la superhistoria se está en el otero de la inspiración suprema"; "la superhistoria es escaparse a la Historia confinada". Los relatos que componen el volumen de 'novelas superhistóricas', siete en total, rehacen, con esta absoluta libertad, otros tantos temas de la Historia española, desde las azarosas existencias de doña Juana la Loca y la Beltraneja hasta los episodios protagonizados por el caballero de Olmedo, doña Urraca de Castilla y los siete infantes de Lara.

Novelas 'madrileñas', es decir, ficciones a las que se ha puesto por escenario la faz urbana de Madrid, rehecha desde el exilio, son *Las tres gracias* y *Piso bajo,* equiparables por ello a *La viuda blanca y negra* y *La Nardo*; de estas últimas se distinguen, sin embargo, porque en aquéllas, aun siendo también tema de las mismas el problema del amor, éste no es encarado ya desde la cerrada interpretación sexual tantos años mantenida por Ramón; literalmente, ni *Las tres gracias,* ni menos todavía *Piso bajo* consiguen alcanzar los valores que desde luego poseen muchas de las anteriores novelas de Gómez de la Serna. Lo que más importa en los dos relatos ahora motivo de comentario es la recreación que en ambos realiza su autor de un ambiente al cual sigue ligado Ramón a despecho de los años y la distancia.

Policéfalo y señora, novela dedicada a la escritora Victoria Ocampo, es, quiere ser cuando menos, la interpretación literaria del tipo humano hecho realidad en el continente americano, combinación de muy distintas razas, mezcla tanto biológica como cultural. La obra fue escrita por Ramón, y ello confirma su preferencia por adelantar conclusiones, antes de su primer viaje a Buenos Aires. En la novela se narran los episodios por que discurre la vida en Europa de un argentino, Perfecto Tully, a quien acompaña en el viaje su joven esposa; en su comportamiento,

con su ideal de vida, Perfecto Tully es tipo humano con claros
antecedentes en el mundo novelesco ramoniano; su parecido
con los protagonistas de *El Gran Hotel* y *El caballero del hongo
gris* es evidente. La novedad, si puede hablarse de ella, radica
en cómo la disparidad de influjos raciales, de sangres distintas,
preside la disipada existencia de Perfecto Tully y su esposa Emma. Los principios que gobiernan la conducta de ambos personajes son idénticos a los que rigen los actos de las restantes criaturas de Ramón, lo cual nos testifica que todavía en 1932, fecha
de edición de *Policéfalo y señora,* Gómez de la Serna se mantenía
fiel a los postulados ideológicos que aceptó haciéndolos suyos en
la juventud. En la novela que cito, y refiriéndose a Perfecto
Tully, escribe Ramón: "Sin un acontecimiento seguido en su
vida, representaba al hombre del porvenir, que sin entrar en
estafas ni cárceles tendrá ese tipo y será un epicúreo indudable
que no admitirá razones de ninguna clase en contra de su epicureísmo sin máximas; un epicureísmo arrostrado y profesado sin
aclaraciones ni disculpas"; guiado, en suma, la aclaración casi
resulta innecesaria, por impulsos ligados a la sexualidad, y lo
mismo que él Emma, la esposa, quien recuerda, por su parte,
otras figuras femeninas ramonianas, por ejemplo, a Palmyra
Talares. Como ha visto bien Eugenio de Nora, Perfecto Tully
es una variante de Leonardo, 'el caballero del hongo gris', y
ambos "encarnación... de la barbarie civilizada, de lo que en
último extremo no es sino el hombre-masa señoritil en plena
libertad". Guillermo de Torre destaca en *Policéfalo y señora* lo
que en la novela se descubre de 'apoteosis extremada del determi-
nismo hereditario'. Por lo que se refiere al lenguaje con que se
describe la anécdota del relato, el crítico últimamente nombrado
lo define como 'neológico y desaforado'; "le ayuda en este
libertarismo estilístico, añade, la atmósfera de puro delirio, casi

mágico, en que sitúa a los personajes, brindándoles al mismo tiempo trampolines inacabables para el salto ágil de las greguerías".

De las novelas de Ramón publicadas con posterioridad a su marcha de España merecen especial examen, y por razones distintas, ¡*Rebeca*!, dedicada a Ventura García Calderón, y que se editó en Santiago de Chile en 1936, y *El hombre perdido,* dada a conocer en Buenos Aires once años después. ¡*Rebeca*! constituye una historia novelada de la vida de su autor; al protagonista del relato, Luis, en quien su creador rememora el más importante capítulo de su existencia privada, lo presenta empeñado, desde su adolescencia, en la búsqueda de una mujer perfecta a la que ha puesto, de antemano, el nombre de Rebeca; el personaje queda retratado, descubriéndose tras él Ramón, cuando se nos dice vivía "el desconcierto de estar buscando siempre el amor por el desierto de los saleros"; de la biografía de Luis, 'contemplador de musarañas', nada se relata salvo lo que toca a su anhelo de una mujer ideal; en nada afecta a su vida lo que en torno suyo acaece. El rasgo a que apunto ahora es de máxima importancia pues revela la actitud de insociabilidad completa mantenida incluso en esta fecha tardía por Gómez de la Serna; cuando España se precipita en los dramáticos episodios donde encuentra su fin todo un período de su historia, de Luis, de sí mismo por tanto, dirá Ramón en ¡*Rebeca*! : "presentía que nada es grave porque la vida lo mete todo en la desmemoria. Lo más que se puede conseguir es pasar inadvertido entre las catástrofes". Estamos, no se olvide, en el verano de 1936, y en esta fecha, cuando redactó toda o parte de la obra que cito, Gómez de la Serna, refiriéndolo a su reencarnación libresca, escribe : "Se es de una época de peste, de gripe o de guerra, pero el personaje de novela de esas épocas —que no es

el héroe que va a pasar a la ilegible prosa épica— vive·su vida
casera de un modo supremo, escapándose a la destrucción, sin que
pueda hacer tabla rasa con él la tontería criminal. Luis no creía
en nada de lo que sucedía a su alrededor, oía a los grandes
charlatanes que ofrecen la panacea universal ramplona como
un callicida y se dedicaba a vivir al margen"; repite en otro
lugar de la novela: "No quería él comer gracias a ninguna de
las maneras políticas que hay de comer...; no quería otro absoluto que el del amor."

Preso de una única obsesión, guiándole un bien concreto
afán, Luis únicamente desea lo que la mujer puede conceder;
su filosofía la resume esta afirmación suya: "sólo parejas de
alma —una masculina y otra femenina— sorben un poco de
inmortalidad en la vida si se comprendieron y se amaron"; el
hallazgo de la mujer esperada "era lo único que vencía la muerte, la hipocresía de todo"; Rebeca, léase la mujer ideal, "es lo
que evidencia la vida sin rencor ni violencia, lo que encanta
de nitidez del vivir, la que nos hace olvidar la muerte". El
cuerpo de la novela relata la sucesión de experiencias amorosas
a través de las cuales Luis busca, sin acabar de encontrarlo, su
sueño hecho realidad. Su relación con María, una de las varias
mujeres que se cruzan en su vida, puede considerarse trasunto
del episodio vivido por Ramón con la hija de Carmen de Burgos y que el lector conoce. La ideal Rebeca termina Luis ha-
llándola en Leonor, viuda y de raza judía, reencarnación literaria de Luisa Sofovich, esposa de Ramón desde 1931, divorciada y también de origen judío. Luis, dueño ya del verdadero
amor, rompe con su pasado; ha logrado 'la Rebeca posible',
lo cual supone "haber muerto y vivir... Sentirse resucitado de
toda la vida que pasó". Si en la existencia real de Gómez de
la Serna el matrimonio con Luisa Sofovich abre nuevo capítulo

en el que nada perdurará de lo hasta entonces vivido, en el mundo ficticio de su obra novelesca el suceso queda perennizado con ¡*Rebeca*!, relato nutrido de elementos autobiográficos que Ramón sólo se decidió a escribir tras la muerte de Carmen de Burgos.

Las 'novelas de la nebulosa' modalidad a la que pertenece ¡*Rebeca*!, tienen su más acabada realización en *El hombre perdido*; en esta narración un innominado personaje vive su irreal existencia buscándole a la misma sentido mientras persigue el amor perdiéndose en la convivencia con diversas mujeres. Para el héroe, igual que para su creador, desde luego, nada importa si no es capaz de producir o facilitar la satisfacción sexual; "la epilepsia de la vida de cada uno, escribe Ramón en *El hombre perdido,* no tiene respuesta... La mujer es lo que contesta algo al enigma"; "en el ceceo del amor, añade en otro lugar de la novela, en su anhelo torpe no hay balbuceo por concupiscencia, sino desconcierto por el dolor de ir a perder lo más grande que se encuentra en el mundo, como alucinación y como milagro, el cuerpo de una mujer"; párese atención en esa reducción que de la mujer se hace a su realidad carnal; la frase 'cuerpo de una mujer' resulta tan significativa que hace innecesaria su interpretación. Unido al tema de la relación hombre-mujer, cuestión que vino facilitando material novelable a Ramón desde sus primeros relatos, en *El hombre perdido* se plantea el problema, más hondo, de la razón última del vivir humano, lo que lleva a Gómez de la Serna a encarar la realidad de la muerte y la posibilidad, ahora aceptada, de una existencia ultraterrena. El ámbito por completo irreal que sirve de escenario al relato, la borrosa figura de los personajes, la apariencia onírica o de franco delirio de algunas escenas confieren novedad a la narración justificando el calificativo de 'novela de la nebulosa' que su autor le atribuye.

Precedentes a las denominadas 'novelas de la nebulosa' se encuentran en *El incongruente,* según se dijo y también en uno de los relatos que componen *El novelista.* El propio Ramón nos lo descubre al escribir en su prólogo a *El hombre perdido*: "Esta novela está en camino desde hace muchos años, porque no en vano yo escribí y publiqué en Espasa-Calpe en el año 1922 mi novela *El incongruente...,* y en 1936 apareció en la Editorial Ercilla mi más nebúlica novela titulada ¡*Rebeca*!... En mi *Novelista,* escrito hace veintitrés años en plena juventud —y ahora en la nueva edición no me he atrevido a alterar nada— está el atisbo de esta realidad desesperada." Reiteradamente, lo vemos confirmado en cuanto queda dicho, Gómez de la Serna intentó renovar el género novelesco; tal significado tienen sus 'falsas novelas', las 'novelas superhistóricas' y sobre todo estas 'novelas de la nebulosa' en las que algo hay que recuerda a las 'nivolas' de Unamuno. En *El novelista,* y en el relato 'Todos', Andrés Castilla buscó componer, así lo explica, "una novela en que la vida entrase sin tesis y sin ser sectarizada ni demasiado individualizada"; pretende ofrecer, dirá con frase gráfica, 'la vida en rama'; fracasó en el propósito: "el novelista, cuenta Ramón, rompió las cuartillas de 'Todos', novela vana, hija del deseo estéril de la universalidad y de la totalidad", y ello ocurrió, añade, porque "la nebulosa se traga las novelas y porque el deseo de dar capacidad a la novela la perdía en la masa cosmogónica primera, desprovista de formas, de géneros, de salvedades, de excepciones, de concreción". Lo que no fue posible en 1923, fecha de edición de *El novelista,* lo hará Ramón realidad veintitrés años después con *El hombre perdido*; en el 'Prólogo a las novelas de la nebulosa' que lo encabeza, fechado en Buenos Aires en 1946, dice a sus lectores Gómez de la Serna: "Hace años que venía aludiendo en entrevistas y proyectos a esta obra que estaba larvada, medio escrita, agazapada esperando la decisión de numerar sus cuartillas"; desde ahora, tal es su deseo, propósito, sin embargo no cumplido, "frente a las novelas en que el pensamiento está ahogado, las mías tendrán escape hacia esa confusión que es la nebulosidad primitiva y la que según está preconizado será la final." El prólogo a que vengo haciendo mención incluye una amplia teorización sobre la manera de entender su autor las 'novelas de la nebulosa', de la cual considero conveniente reproducir aquí una corta selección de afirmaciones: "Dar la novela sin el verdadero lío de la vida me parece una cosa baladí"; "Sólo en la reconstrucción en el más allá cerebeloso se podrá encontrar el sentido de lo sin sentido"; "Lo que menos merece la vida es la reproducción de lo que aparente suceder en ella." En las 'novelas de la nebulosa', concluye Ramón, "yo recojo algo del caos de nuestra época...; hay que meter en lo que sea, novela o cuento, toda la complicidad del mundo y que cada cual alcance en este lanzarse al misterio el secreto que pueda".

Eugenio de Nora, enjuiciando *¡Rebeca!*, opina que resulta evidente en las denominadas por Ramón novelas de la nebulosa' "una falta absoluta de cohesión o continuidad, una conciencia en estado gaseoso, de sueño, en plena libertad imaginativa, pero tomada no como delirio, sino como plasmación del proceso vital del personaje". Su negativa valoración la reafirma al someter a examen *El hombre perdido,* novela de la cual escribe: "Esta nueva 'realidad lateral' que Ramón pretende descubrir por cansancio o desprecio del mundo de todos, no parece que sea mucho más que la escombrera de una conciencia saturada de literatura, en pleno 'terremoto mental'; espectáculo interesante, impresionante, incluso, pero de más que dudosa viabilidad estética." Puestos a descubrir la génesis de las 'novelas

de la nebulosa' cabe relacionarlas con la actitud vital, voluntariamente adoptada por Ramón en su día y ahora en la senectud
extremada por la doble imposición de la circunstancia y de su
edad, de total apartamiento del mundo social y cultural que
continúan siendo marco de su existencia histórica.

Antes de poner fin a este examen de la obra novelesca de
Ramón Gómez de la Serna, considero conveniente rememorar
algunas de las opiniones que de la misma han sido formuladas,
empezando por recordar las expuestas por su propio creador. En
una entrevista mantenida con Federico Lefèvre, y que se publicó
en *Les Nouvelles Littéraires,* dijo Ramón: "A mi juicio, debe
uno hallar en la novela inesperadas reafirmaciones de la vida,
palabras esperadas, situaciones en las cuales quisiera uno encontrarse y libertades que acaso no podrá uno tener nunca. Debe
uno indicar en la novela algo de lo que debió suceder y algo de
lo que debería suceder... Trenzar lo que falta en el tapiz del
mundo." Bastantes años después, en 1954, en su biografía de
Lope de Vega, Gómez de la Serna define la novela como 'sueño
de la vida'. En fecha intermedia entre las que corresponden a los
textos citados, Ramón elaboró su más completa teorización sobre
la novela; aludo al ensayo 'Novelismo', incluido en su libro
Ismos; tras titular aquí la novela de 'género inmortal porque
es el que se produce viviendo', escribe: "En este mundo en que
todo lo que sucede, sucede limitado, confinado, en plena asfixia,
debía de haber novelas en que la vida estuviese resuelta con mayor amplitud, en mayor libertad de prejuicios, de imágenes audaces y claras"; ideal éste que Ramón se esforzó, desde luego,
en cumplir. En sus relatos busca Gómez de la Serna hacer realidad tipos de vida que no resultaban posibles en la sociedad de
su tiempo. A tal propósito aluden estas afirmaciones suyas: "Hay
que reaccionar contra la novela a la antigua, hasta contra la

novela a la manera *stendhaliana*... No hay que hacer ninguna de las novelas que se hicieron, ni ninguna de las que se dejaron de hacer, pudiéndose haber hecho." Si desde sus primeros relatos Gómez de la Serna se atuvo a estos principios, ellos le sugirieron más tarde las 'falsas novelas', las 'novelas superhistóricas' y las 'novelas de la nebulosa'; el que la novela ramoniana no acabara de perder contacto con la realidad se debe, a mi juicio, a que siempre se inmiscuyó en los imaginarios mundos de sus ficciones; dicho con otras palabras, al componente autobiográfico que hay en todas sus novelas.

Entre sus comentaristas Rivas Cherif definió ya en 1922 la novela ramoniana como una 'greguería de greguerías'. Benjamín Jarnés considera lo más característico del mundo novelesco de Gómez de la Serna el que en él no existen verdaderos personajes, 'muñecos mayores de la vieja novelería'. Según Rafael Calleja a Ramón no puede calificársele de novelista; posee, eso sí, "fantasía, fuerza de evocación, paleta y pincel de gran novelista. Pero no lo será nunca, le augura el crítico que nombro, mientras conserve la arrolladora, desbordada, hipertrofiada personalidad que inunda todos los asuntos, todos los paisajes, todos los personajes vertiendo sobre ellos, en cascada, ramonismo y greguería". Para Guillermo de Torre lo que singulariza a las novelas de Ramón es su diversidad temática; "si en los grandes novelistas del siglo XIX, escribe, lo que importa, para medir la extensión de su mundo, es trazar el censo de sus personajes —según se ha hecho con Balzac y Galdós—, en el caso de Ramón, contrariamente, la unidad de medida podría ser el índice de su temática". Lo que impidió a Gómez de la Serna crear novelas al modo usual fue, opina Julián Marías, su peculiar tratamiento de las cosas, por ello, "cuando hace novela, resulta que no puede hacerla porque se distrae... por el camino, va y vuelve, se olvida de la historia, retenido por el encuentro de las cosas"; ya en 1935 Miranda Junco había escrito a este respecto: "las cosas: he aquí los verdaderos héroes de sus libros. Cuando el protagonista de Ramón es un ser humano, Ramón no puede tratarlo más que convirtiéndolo en cosa. En cosa con figura humana. Esto es, en muñeco. Conocida es de todos esa fotografía en que Ramón, bajo el falso firmamento de su estudio, dialoga con una muñeca. Son el autor y su personaje". Muy semejante es el criterio de Torrente Ballester, quien asimismo señala la relación entre novela y greguería apuntada por Rivas Cherif. En lo que atañe a su génesis, Torrente individualiza dos modalidades en la novelística ramoniana; en algunas novelas ha partido de la previa creación de un personaje; en otras, el origen se halla en la elaboración de un acontecimiento o 'tipo de acción', y entonces "el resultado, aunque detalladamente consista en greguerías acumuladas y enlazadas, conserva algo de la esencia novelesca", existiendo en el relato desarrollo y desenlace; en el primer caso, por el contrario, "la descripción del *tipo* se logra por yuxtaposición de anécdotas, de pequeños sucesos, de visiones parciales, sin el enlace de un argumento en desarrollo".

Para concluir transcribiré la opinión de Pérez Minik y Eugenio de Nora, los comentaristas que con mayor amplitud y rigor han analizado este capítulo de la obra ramoniana. Según el primero de los nombrados, la técnica novelesca de Gómez de la Serna es siempre la misma; "en una novela están encerradas sus treinta novelas siguientes. Un personaje llega a ser la célula generadora de todos los personajes sucesivos"; de otra parte, añade, "la arbitrariedad, nota destacada de cualquier rico tiempo de incertidumbre, y expresión de que se quiere huir de él, ha sido el elemento más poderoso y constructivo de la novela de Ramón"; la novela ramoniana acusa asimismo ausencia de moralismo y de

EX-VOTOS, por Ramón Gómez de la Serna.

OS SONAMBULOS □ SIEMPREVIVA □

A CASA NUEVA □ LOS UNANIMES □

RANSITO □ FIESTA DE DOLORES □

A CORONA DE HIERRO □ LA UTOPIA

74. PORTADA DE "EX-VOTOS"

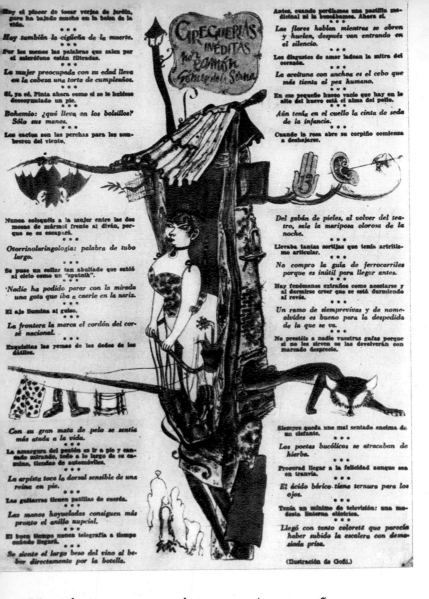

Hay el placer de tocar verjas de jardín, pero ha bajado mucho en la bolsa de la vida.

Hay también la cigüeña de la muerte.

Por lo menos las palabras que salen por el micrófono están filtradas.

La mujer preocupada con su edad lleva en la cabeza una torta de cumpleaños.

Sí, ya sé. Pinta ahora como si se le hubiese descoyuntado un pie.

Bohemio: ¿qué lleva en los bolsillos? Sólo sus manos.

Los cactus son las perchas para los sombreros del viento.

Nunca coloquéis a la mujer entre las dos mesas de mármol frente al diván, porque se os escapará.

* * *

Otorrinolaringología: palabra de tubo largo.

* * *

Se puso un collar tan abultado que subió al cielo como un "sputnik".

* * *

Nadie ha podido parar con la mirada una gota que iba a caerle en la nariz.

El ajo ilumina al guiso.

La frontera la marca el cordón del corsé nacional.

Exquisitas las yemas de los dedos de los dátiles.

Con su gran mata de pelo se sentía más atada a la vida.

La amargura del peatón es ir a pie y cansado mirando, todo a lo largo de su camino, tiendas de automóviles.

La arpista toca la dorsal sensible de una reina en pie.

Las guitarras tienen patillas de cuerda.

Las manos hoyueladas consiguen más pronto el anillo nupcial.

El buen tiempo nunca telegrafía a tiempo cuándo llegará.

* * *

Se siente el largo beso del vino al beber directamente por la botella.

Antes, cuando perdíamos una pastilla medicinal ni la buscábamos. Ahora sí.

Las flores hablan mientras se abren y huelen, después van entrando en el silencio.

* * *

Los disgustos de amor ladean la mitra del corazón.

* * *

La aceituna con ancha es el cebo que más tienta el pez humano.

* * *

En ese pequeño hueco vacío que hay en lo alto del huevo está el alma del pollo.

Aún tenía en el cuello la cinta de seda de la infancia.

Cuando la rosa abre su corpiño comienza a deshojarse.

Del gabán de pieles, al volver del teatro, sale la mariposa olorosa de la noche.

Llevaba tantas sortijas que tenía artritismo articular.

No compro la guía de ferrocarriles porque es inútil para llegar antes.

Hay fenómenos extraños como acostarse y al dormirse creer que se está durmiendo al revés.

Un ramo de siemprevivas y de nomeolvides es bueno para la despedida de la que se va.

No prestéis a nadie vuestras gafas porque si no las sirven os las devolverán con marcado desprecio.

Siempre queda uno mal sentado encima de un elefante.

Los poetas bucólicos se atracaban de hierba.

* * *

Procurad llegar a la felicidad aunque sea en tranvía.

* * *

El ácido bórico tiene ternura para los ojos.

* * *

Tenía un mínimo de televisión: una modesta linterna eléctrica.

Llegó con tanto colorete que parecía haber subido la escalera con demasiada prisa.

(Ilustración de Goñi.)

75. PÁGINA DE GREGUERÍAS ILUSTRADA POR GOÑI

76. DIBUJO DE GOÑI PARA UNA

COLECCIÓN DE GREGUERÍAS

77-84. DIBUJOS HECHOS POR RAMÓN...

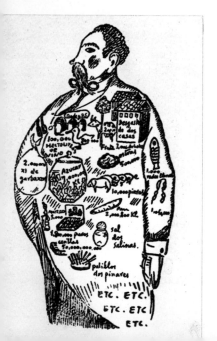

psicología causal. Los valores de la obra creadora de Gómez de la Serna los considera Pérez Minik "anteriores a todo conocimiento de las literaturas de vanguardia y a la injerencia de los métodos renovadores del género". Eugenio de Nora, tras haber analizado, una a una, las novelas de Ramón, concluye reconociendo en ellas, a despecho de su aparente variedad temática, una cierta falta de evolución; la fórmula descubierta por Gómez de la Serna "la ensaya, contrasta, reitera, explota, implacable e incansablemente. Los temas se desfloran apenas, pese al enjambre zumbador de greguerías en torno: lo único que el escritor toma en serio, con la literatura, es el erotismo", y añade Nora: "Las limitaciones de Ramón como novelista son varias, y muy graves: todas dependen de una, y pueden reducirse a ella: escamoteo de la realidad. En primer término, parcialidad psicológica. El alma humana, en su complejo de pasión, inteligencia, sentimientos y voluntad consciente, apenas puede entreverse en su obra: todos sus personajes están en este sentido tarados, mutilados, incompletos. Escamoteo, también, del mundo en torno: del problema, de los problemas de España, del mundo y del tiempo en que vive: Ramón se refugia en un delirio solipsista, enemigo de la evidencia misma, sin querer saber nada, si no es que lo dejen en paz. Eso sí, para seguir escribiendo." La verdad de estos juicios, desde luego indisputables, se debe a que es en la novela donde Ramón se muestra más como él es, sus novelas son por tanto lo más personal o autobiográfico de su obra entera de escritor; por ello la novela ramoniana sólo podrá entenderse refiriéndola a la existencia de su autor, tanto a concretos episodios por él vividos como a su mundo ideológico.

CAPITULO VIII

BIOGRAFIAS

Resta por considerar de la obra de Gómez de la Serna el grupo de libros que integran su labor de biógrafo, los estudios sobre la evolución literaria y estética en la Europa de entreguerras, sus memorias y los libros dedicados a describir dos ciudades, Madrid y Buenos Aires, en las que transcurrió casi por entero su existencia. Si bien alguna de las obras que ahora serán objeto de comentario fueron escritas por Ramón en la primera etapa de su vida literaria, y otras, pocas en número, las realizó en los años de madurez, su labor como biógrafo e historiador la lleva a cabo Gómez de la Serna con posterioridad a 1930, constituyendo esta tarea desde tal fecha la ocupación preferente de su quehacer de escritor. Colaboran a explicar esta dedicación dos razones; es la primera su edad, que le induce a rememorar, y no sin nostalgia, su propio pasado y también la vida y los ideales estéticos de unos hombres y una época que ha dejado de ser actual; la segunda razón estriba en la boga creciente que fue adquiriendo, desde los años treinta, en las preferencias del lector medio, la biografía y toda clase de obras que reviven acontecimientos del pasado más inmediato; a esta exigencia editorial ha de plegarse Gómez de la Serna, quien cuenta para vivir sólo con los frutos de su pluma; en una de sus 'cartas a mí mismo', de 1956, confiesa Ramón: "estoy desesperado porque hay que escribir biografías y biografías: es el encargo que abunda, y así perdemos nuestra existencia ocupándonos de los otros en el pasado y en el presente". De la importancia real de esta labor de historiador cumplida por Gómez de la Serna, y refiriéndome sólo a un capítulo de ella, basta decir, para confirmarla, que la vida literaria española de nuestro siglo ha tenido en Ramón su más puntual y cuidadoso cronista. Lo más valioso de su quehacer como biógrafo ha sido reunido en los volúmenes *Biografías Completas* y *Retratos Completos,* publicados, respectivamente, en 1959 y 1961; el tomo de *Biografías* incluye sus estudios sobre 'el Greco', Goya, Velázquez y José Gutiérrez-Solana, Lope de Vega y Quevedo, Edgar Poe y Carolina Coronado, 'Azorín' y Valle-Inclán; los *Retratos Completos* agrupan el libro *Efigies,* los dos tomos de 'Retratos contemporáneos', varios estudios biográficos menores que primero formaron parte de *Ismos* y otros retratos hasta tal fecha no reunidos en volumen.

El examen, particularizado, que aquí he de realizar, de la labor de biógrafo e historiador cumplida por Gómez de la Serna lo iniciaré por la parte de la misma que componen sus estudios sobre movimientos artísticos y las obras consagradas a describir, de manera monográfica, la vida y el quehacer de cuatro grandes pintores españoles. Testimonio del temprano interés por el arte mostrado por Ramón nos lo ofrece la firme amistad que desde muy joven anudó con varios artistas coetáneos y los artículos de crítica por él publicados en la revista *Prometeo,* entre 1908 y 1910, sobre Mariano Benlliure, Marco y Chicharro, Miguel Viladrich y Salvador Bartolozzi; en el volumen de *Retratos Completos* figuran sus estudios sobre Norah Borges y Maruja Mallo, un nuevo examen de la obra de Bartolozzi y valoraciones críticas de la labor realizada por los pintores, todos españoles, Salvador Dalí y María Gutiérrez Blanchard, Juan Gris y Juan Echevarría. En *La Sagrada Cripta de Pombo* se incluyen semblanzas de Bagaría y Viladrich, un estudio sobre el escultor Julio-Antonio y una referencia a la obra del pintor Iturrino. El primer juicio de Ramón sobre Picasso y el cubismo se publicó, en 1929, en la *Revista de Occidente,* siendo después aquel ensayo incorporado a su libro *Ismos,* que editó en 1931, obra de la que forman parte varias de las mejores contribuciones de Gómez de la Serna sobre diversas orientaciones del arte europeo de entreguerras; hay en ella capítulos consagrados a Toulouse Lautrec, Archipenko y Lipchitz, Lhote y los Delaunnay; sobre Léger, Marie Laurencin, Diego María Rivera, Salvador Dalí y Charlot; otros 'ismos' sometidos a rememoración y juicio son el negrismo, el luminismo y klassismo, el estantifermismo y el monstruosismo, el jazzbandismo y el botellismo. Con razón escribe en el prólogo a la obra: "No van al azar los ismos en este libro. Entre todos completan cierta clave del arte contemporáneo"; Ramón, el más europeo de los escritores de su tiempo, compuso con *Ismos,* para el lector español, el primero y mejor logrado panorama del arte y la literatura europeos de vanguardia. Para completar la enumeración hecha citaré los trabajos de Gómez de la Serna sobre el pintor de origen ruso Marcos Chagall y los dedicados a Darío de Regoyos y Manuel de Falla, incorporados, los tres, al libro *Nuevos Retratos Contemporáneos.*

De más ambicioso propósito son las biografías de Ramón sobre Goya y 'el Greco', Velázquez y Solana. La primera aproximación de Gómez de la Serna a Goya la componen dos amplios ensayos que publicó en la *Revista de Occidente* en 1927 y 1928; en esta segunda fecha la Junta organizadora del Centenario de Goya edita en Zaragoza la conferencia 'Goya y la ribera del Manzanares' pronunciada por Ramón en la capital aragonesa el 4 de mayo de 1927. Los tres estudios quedan reasumidos en su biografía *Goya,* editada en 1928; esta rememoración de la existencia histórica y la obra del gran pintor la cumple Ramón con apoyo de una sólida erudición, a la que aúna, en feliz maridaje, afortunadas intuiciones, clarividentes atisbos; la prosa ramoniana constituye excelente vehículo para rehacer el humano talante de Goya e interpretar su labor pictórica. A la biografía de Goya sigue, siete años más tarde, la de 'el Greco'; en la realización de este quehacer Ramón mezcla su perfecta documentación sobre el tema a una interpretación libre, literaria, de la vida y la obra del pintor cretense avecindado en Toledo; su norma expositiva la explica el propio Ramón al decir en el prólogo a la obra: "Voy a escribir una vida del Greco, movida en raudales de palabras, dejada en su mayor parte a la inspiración, sometida a la videncia". Los aciertos, indudables, que encierra esta biografía de 'el Greco', como los que enriquecen su interpretación de Goya, los explican la personalidad literaria de Ramón y su dominio del lenguaje, y también, desde luego, su fortuna al elegir las figuras objeto de su quehacer como biógrafo. En 1943 publica Ramón su biografía de Velázquez, menos valiosa, a mi juicio, que las dos precedentes, y al siguiente año aparece su gran estudio sobre José Gutiérrez-Solana, de quien fue íntimo; en 1923, incluyéndolo en *La Sagrada Cripta de Pombo,* Gómez de la Serna había elaborado ya su primera biografía de Solana razonando en ella el juicio, admirativo, que su obra le merece; lo que entonces dijo lo repite, con más minuciosa información, en el libro editado en 1944; no faltan en esta obra referencias a la labor literaria de Gutiérrez-Solana y noticias sobre el cuadro que durante años presidió las tertulias de Pombo y hoy es conservado en el Museo de Arte Moderno de Madrid. Entre la pintura de Solana y la obra de escritor de Gómez de la Serna existen indudables coincidencias; ellas ayudan a explicar la amistad que unió a ambos y asimismo lo bien logrado que está el retrato literario hecho por Ramón de Solana.

Es merecedora de elogio la labor cumplida por Gómez de la Serna en su empeño por dar a conocer, en España, el nombre y la obra de muy diversos autores extranjeros a los que consideró como más representativos de la literatura europea del siglo. Desde las páginas de *Prometeo,* recuérdelo el lector, Ramón difunde la doctrina futurista de Marinetti; también en la misma revista, sirviéndose como traductores de Ricardo Baeza y su hermano Julio entre otros, hizo publicar textos de Charles Swinburne y D'Annunzio, de Paul Fort, Colette Willy y 'Rachilde', de Remy de Gourmont, Jean Lorrain, Saint-Paul Roux y Oscar Wilde; de este último, firmándola con el seudónimo 'Tristán', redactó una breve semblanza biográfica para servir de prólogo a la versión castellana de la comedia *Una mujer sin importancia.* En 1918 la Editorial Sempere de Valencia publica su estudio sobre John Ruskin, autor por quien muestra sincera admiración. Estas tempranas preferencias las confirma Ramón al editar, en 1929, con el título *Efigies,* una colección de semblanzas de Baudelaire, Gerardo de Nerval, Barbey d'Aurevilly, Villiers de l'Isle-Adams y Ruskin; cinco años antes la *Revista de Occidente* le publicó su retrato de la escritora Natalia Clifford Barney, y más tarde, en 1931, un estudio sobre Cocteau. El libro *Efigies* incluye asimismo una de las primeras teorizaciones de Ramón sobre la biografía; sus opiniones, que luego había de reiterar, implican una formal recusación del criterio cronológico; reclama Gómez de la Serna para el literato en misión de historiador completa libertad en el ejercicio de tal quehacer; "en la biografía, escribe Ramón, hay que dar saltos y cometer quizá anacronismos, debiendo abundar en ella lo vivaz en vez de dar a la evocación un aspecto de hoja oficial de servicios y de crónica sobre el muerto. Esa graduación numérica a que se somete la vida de un hombre de talento, lo disuelve y lo diluye en un expediente. Por el contrario, si sólo se logra conseguir un minuto de su vida, que esté conseguido en su independencia del tiempo que ha corrido y del espacio, y que ese minuto tenga su desplante y su algo de cosa improvisada". La intuición debe suplantar al fiel atenimiento a lo que de lo acaecido se puede probar. Sin que tal modo de cumplir la misión rememorativa pueda confundirse con la vulgar biografía novelada, Ramón consigue casi siempre revivir al personaje cuya existencia rehace, y lo logra por la acumulación de anécdotas, haciéndole, incluso, en ocasiones, manifestarse ante el lector, colocándolo en situaciones imaginarias, cabría decir experimentales, para mejor penetrar en su intimidad.

En *Ismos,* obra antes nombrada, incluye estudios sobre Guillermo Apollinaire y Marinetti, sobre el 'dadaísmo' de Tzara y el 'surrealismo' de Bretón y Paul Eluard, sobre Cocteau e Isidore Lucien Ducasse. Este propósito suyo de componer una galería en la que figurasen cuantos, según su criterio, contribuyeron a crear el panorama literario europeo en el período de entreguerras, lo concluye Ramón en los dos volúmenes de 'Retratos contemporáneos', editados, queda dicho, en 1940 y 1945; en ellos reconstruye la figura humana y emite juicio de su labor como escritores, de Jean Cassou, Paul Morand y Cami, de Mac-Orlan, Miss Barney y 'Colette', de Remy de Gourmont, Maeterlinck, Ilya Ehrenburg y el conde de Keyserling, de Oliverio Girondo y Macedonio Fernández, de Ibsen y Bernard Shaw, de Kafka, Pirandello, Bontempelli y Pitigrilli, de Pablo Neruda y Ventura García Calderón. En su semblanza de varios de estos autores anuda a la rememoración anécdotas y recuerdos de la relación personal que con ellos mantuvo. Edgar Poe es el único escritor no español a quien Ramón ha dedicado, como hizo con Ruskin, un volumen entero; su biografía la publicó en Buenos

Aires, en 1953, y constituye, a mi juicio, uno de los mejores frutos de su quehacer histórico.

El más importante capítulo de la labor como biógrafo de Gómez de la Serna lo componen sus libros sobre escritores españoles, en su mayoría coetáneos, a los que trató con cierta asiduidad; esta contribución, creo haberlo dicho, no podrá ignorarla quien pretenda adentrarse en el conocimiento de la literatura española contemporánea, en cuyo animado retablo Ramón es a la vez figura destacada y veraz cronista. Ramón Gómez de la Serna fue el primer biógrafo de Juan Bautista Amorós, más conocido por el seudónimo de 'Silverio Lanza'; Ramón, visitante asiduo de Amorós en su retiro de Getafe, a quien tomó por maestro y guía para sus iniciales inquietudes ideológicas, llevó a 'Silverio Lanza' a la revista *Prometeo* y años después de su muerte, en 1918, reunió en volumen, con una certera semblanza de aquel original escritor, buena parte de sus obras menores, fragmentos varios de sus libros y algunos textos inéditos. Los dos libros de Ramón sobre la tertulia del Café de Pombo, que él fundó, editados en 1918 y 1923, constituyen documento de gran valor para conocer la vida literaria madrileña en los años transcurridos entre la primera Guerra Mundial y la contienda civil; en ambos volúmenes, sobre todo en el segundo, *La Sagrada Cripta de Pombo,* incluyó su autor una amplia colección de retratos, algunos sólo sumariamente esbozados, de escritores y artistas asistentes asiduos o esporádicos a la célebre tertulia; allí nos presenta Ramón, entre otros cuyos nombres silencio, a Juan Nogales y Modesto Pérez, Alberto Hidalgo, Luis Bello y 'Juan de la Encina', a Bernardo G. de Candamo, Pedro Emilio Coll, Marichalar, Correa, Calderón y Francisco Vighi, a Edgar Neville y 'Corpus Barga', a Manuel Abril, Luis Esteso, el coronel Campillo y la poetisa Ruth Velázquez. Nutrida es, igualmente, la galería de escritores españoles coetáneos que figura en sus libros *Retratos Contemporáneos* y *Nuevos Retratos Contemporáneos*; hay en ellos biografías de Juan Ramón Jiménez y Eugenio Noel, de Vighi, Luis Ruiz-Contreras y Santiago Rusiñol, de Fernando Villalón, Emilio Carrere, Antonio de Hoyos y Vinent y Eugenio d'Ors, de Pío Baroja, Unamuno y Valle-Inclán, de Echegaray y doña Emilia Pardo Bazán, de Pérez Galdós, Blasco Ibáñez y Felipe Trigo, de Bartrina, los hermanos Machado, Benavente, Gabriel Miró y José Pijoan, de Pedro Luis de Gálvez, Enrique de Mesa, Pedro de Répide, Rafael Cansinos-Assens y Adriano del Valle; en la edición definitiva de los *Retratos,* hecha en 1961, se han añadido, a los citados, los estudios biográficos de Ramón sobre Jardiel Poncela y los poetas Vicente Aleixandre y Gerardo Diego. En su biografía de Valle-Inclán, a la que ahora aludiré, se incluye una semblanza de Alejandro Sawa.

Con particular pormenor ha realizado Gómez de la Serna los retratos de 'Azorín' y Valle-Inclán. La biografía de 'Azorín', publicada en 1930, más que un estudio sobre José Martínez Ruiz es una completa historia, la primera que se ha escrito sobre el tema, de la Generación del Noventa y Ocho; en el libro a que aludo habla Ramón de 'Silverio Lanza' y Angel Ganivet, a quienes considera precursores del grupo 'noventayochista', se trazan semblanzas de Valle-Inclán, Baroja y Ramiro de Maeztu y se narran algunos actos colectivos por ellos organizados, tal, por ejemplo, el viaje que hicieron a Toledo y los manifiestos que firmaron en su fugaz intervención en la vida política. La biografía de Ramón sobre Valle-Inclán, editada en 1942, y en la que rehace el estudio que de él hizo en ocasiones anteriores, sigue siendo aún hoy el mejor retrato que poseemos de tan singular personaje de la literatura contemporánea. Excelente es, asimismo, el retrato de Carolina Coronado, hermana de la abuela materna de Gómez de la Serna, y que Ramón compuso con minucia y cariñosa ironía; la ocasión que le deparó recordar a la 'última romántica' de nuestras letras, la aprovecha para hacer un interesante estudio del romanticismo español, cuya evolución simboliza en las figuras de Cadalso, Mariano José de Larra y Espronceda. Ramón, patrocinador como se sabe de un homenaje a 'Fígaro', reitera ahora su juvenil aceptación del credo romántico, en lo que él supone de exaltación del amor y adopción de una postura de aristocrático aislamiento frente a la sociedad; romanticismo, para Gómez de la Serna, significa "vivir para la cita de amor y dictarse una conducta de desinterés en el idilio, de defensa de la soledad inefable de dos en compañía, de aislación del pensamiento libre"; romanticismo, añade Ramón, es también "defender la pura intimidad de las distracciones del mundo exterior, de las coacciones de los que quieren especular con la suma de las unidades componiendo cifras para la explotación política". En resumen, la interpretación del romanticismo hecha por Ramón, nos parezca certera o errónea, esto ahora no es para discutir, reúne los postulados que siempre proclamó y a los cuales se esforzó en ajustar su personal existencia.

La labor de historiador de la cultura literaria española cumplida por Gómez de la Serna, y que vengo comentando, se completa con sus biografías de Quevedo y Lope de Vega, publicadas, respectivamente, en 1953 y 1954; de estos retratos es de destacar el bien logrado acoplamiento entre lo que es fruto de una minuciosa información sobre el personaje y su época y lo que ha de atribuirse a la libre interpretación, por entero intuitiva, de ambos escritores. La identidad, en lo que atañe a actitud vital y también literaria, entre Quevedo y Ramón, muy particularmente por los años en que rehace la historia de su vida, no creo preciso confirmarla, pues sobre ello puede el lector recordar lo escrito en anteriores capítulos de

este estudio. Ramón parece hablarnos de sí mismo cuando escribe:
"Bola de hombre, Quevedo pasó por la vida dejando huella nada
académica, nada premiada, pero verdadera como silueta en negro
sobre el transparente de los horizontes. Se echó al monte de la
literatura y fue un buen espantapájaros de su época. Volvió del
revés —lo de adentro para afuera— el guante de su tiempo". La
semejanza entre Ramón y Lope, apuntada ya por algunos críticos,
la considero asimismo evidente; que también era de esta opinión
Gómez de la Serna nos lo demuestra en diversos pasajes de su biografía, entre otros, cuando dice de Lope que vivió y escribió dedi-
cando su existencia entera "a la inspiración y al amor"; también
cuando afirma: "era el único hombre escritor que no tomó la literatura como profesión de otra clase que no fuese la de escribir".
El madrileñismo de Ramón, por último, es bien semejante al de
Lope.

La labor de biógrafo e historiador de Gómez de la Serna ha
sido enjuiciada por varios de sus comentaristas. Para Tomás Borrás, "el mejor Ramón es el de los retratos", y añade: "La tertulia
de Pombo, una de sus galerías, le proporcionó riquísimo vivario.
Sus viajes, otra larga procesión de gentes individualizadas. El censo
de los retratos de Ramón puebla una ciudad auténtica... Ramón
es un émulo del Greco, de Goya y, en ciertos casos, de Rosales y
Madrazo." La opinión crítica de Torrente Ballester, el segundo
juicio que aquí quiero transcribir, alude a la técnica que como biógrafo utilizó Gómez de la Serna; "toda biografía ramoniana, escribe Torrente Ballester, es una greguería amplificada. En primer
lugar, Ramón elige como temas de su obra biográfica a escritores o
artistas cuya vida y cuyo arte —o ambos a la vez— se apartan de
la normalidad... Los elegidos de Ramón son aquellos cuya obra y
cuya conducta, a la vez que indicios de una peculiaridad psicológica o social, son resquicios por los que la intuición ramoniana

pueda penetrar y averiguar parte del misterio humano de los biografiados". Considero certera esta apreciación, pues es siempre evidente, en los retratos y semblanzas de Gómez de la Serna, una semejanza entre el biógrafo y su personaje, lo que explica que en ocasiones la descripción de una vida singular se convierte, hecha por Ramón, en confidencia autobiográfica.

Oigamos ahora las opiniones del propio Ramón sobre sus biografías. En el prólogo a los *Retratos Contemporáneos* nos dice: "Creo aportar a la general investigación de nuestra época un poco de verdad fehaciente a la que va unida como aval y evaluación mi propia vida". Aludiendo, ahora, a la selección de los personajes, cuya existencia quiso rememorar, añade: "He preferido siempre en las biografías... a los seres singulares, a los originales, a los que están nimbados por el desinterés, por la bohemia, por la pureza incomprensible, por la conducta llena de fidelidad, por la simpatía que emanan al haberse atrevido a ser los seres pintorescos y transeúntes de una época, dando romanticismo, novelería, galantería y gracia a sus calles". Reiterando lo que propugnó en 1929, en su libro *Efigies,* y el lector conoce, Gómez de la Serna reclama con nuevas razones libertad total para el literato en el cumplimiento de un quehacer histórico; a esta exigencia se liga su convicción de que en la reconstrucción de una vida se inmiscuye siempre, téngase o no conciencia de ello, la personal existencia del biógrafo. Prologando su segundo volumen de *Retratos* escribe Ramón: "La biografía es para mí la mejor interpretación del alma y de la obra del autor... Yo aplico a mis retratados mi ningún odio, mi ninguna envidia, mi ninguna política y mi deseo de acertar con la verdad que queda flotando sobre las cosas y los acontecimientos". Permítaseme añadir a los citados un nuevo testimonio; procede de la obra de Gómez de la Serna sobre Quevedo, y dice como sigue: "Mis biografías son unas biografías particulares. Me

detengo en lo que creo esencial y paso de largo lo que es sólo arren-
dajo y embrollo, que enturbia la pujanza del retratado... En las
biografías vale el soplo, el empellón, el cerrar los ojos y abrirlos
de súbito, los momentos destacados, las ráfagas."

La mejor elaborada reflexión de Gómez de la Serna sobre la
biografía, documento que confirma el interés que por este género
literario mostró, figura en su retrato de Edgar Poe; se lee en él:
"Cada vez estoy más convencido de que la biografía es una cosa
que el biógrafo merece o no merece hacer. Si merece, saldrá bien;
y si no lo merece, inútiles serán esfuerzos y esmeros. Es en vano
que se acopien todos los datos posibles, que se hayan leído todos
los libros que en distintos idiomas se hayan escrito sobre tal o cual
mártir escritor; la biografía será crimen cadavérico, ensañamiento
postmortem". Cada autor puede ofrecer, si en el empeño se im-
plica a sí mismo, una imagen nueva de un determinado personaje
por muchas que hasta entonces hayan sido las historias que de él
se hubiesen narrado; de igual modo, cada época pide del mismo
personaje un nuevo retrato, pues cuanto de él fue relatado en anteriores períodos, por sólo el modo de haber sido contado, ya no
es capaz de suscitar el interés del lector; la biografía, en suma, así
opina Ramón, ha de ser original y actual. De su originalidad, que
ha de conferírsela la intromisión del historiador, con su propia vida,
en el retrato del personaje biografiado, queda dicho lo suficiente
para no ser necesario tornar a ello; acerca de la actualidad que ha
de poseer toda biografía, escribe Ramón: "al esbozar cualquier
conato de estudio biográfico nos damos cuenta de que el público
quiere renovación, puntos de vista nuevos, y que el rebiografiado
tenga el sello del día de hoy en la revisión de su vida... El público quiere esa mezcla de las almas antiguas con las almas contem-
poráneas, y cada medio siglo habrá una revisión de biografías".

Esta infusión de vida propia en el quehacer histórico es ma-

... PARA ILUSTRAR ALGUNAS DE SUS OBRAS

RAMON, PENSIONISTA ARGENTINO
—Ahora, una buena pipa y a seguir escribiendo cosas de España.

85-86. DOS DIBUJOS DE MINGOTE

—¡Más papel, que viene Ramón!

niobra que Ramón ejecutó a todo lo ancho de su obra literaria; la confirmación nos la proporciona el hecho, reiteradamente confirmado en otro capítulo del presente estudio, de que noticias sobre sí mismo figuran ya en sus libros primerizos, en *Morbideces, El Libro Mudo, Tapices* y el *Libro Nuevo,* así como en los volúmenes consagrados a relatar la historia de la tertulia por él fundada en el Café de Pombo. "En toda mi obra hay autobiografía", dice el propio Ramón en 1923, y en 1948, en *Automoribundia,* confiesa existen alusiones a su vida íntima en *El Rastro* y *El Circo,* en *Ismos* y en sus novelas, de las que cita por sus títulos *La viuda blanca y negra, El Gran Hotel* y *El secreto del Acueducto, El novelista, La quinta de Palmyra, La mujer de ámbar* y *La Nardo*; "en todos estos libros, concluye Ramón, está absoluta y declaradamente reflejado mi vivir en Madrid, en Segovia, en Suiza, en Portugal o en Nápoles, pero en todos los libros de mi largo catálogo también hay algo autobiográfico". Al margen de este constante darse a sí mismo, en su cotidiano quehacer de escritor, Gómez de la Serna redactó varias confesiones o historias de su vida; la primera, titulada *Mi autobiografía,* la incluyó en su obra *La Sagrada Cripta de Pombo* (1923); las restantes, escritas todas ya en la senectud, son *Automoribundia,* editada en 1948 y que completó en 1957 con el libro *Nuevas páginas de mi vida,* y dos volúmenes de figurados textos epistolares: *Cartas a las golondrinas* (1949) y *Cartas a mí mismo* (1956).

Según acabo de indicar en *La Sagrada Cripta de Pombo,* en sus páginas 473 a 555, Ramón nos ofrece su primera autobiografía; este relato sobre sí mismo, rico en pormenores, copiosamente ilustrado, está escrito con sinceridad digna de elogio. La conversión de su propia existencia en tema para su labor de escritor queda interrumpida desde 1923 hasta 1948, cuando, en Buenos Aires, redacta la confesión general de su vida que es *Automori-*

bundia; la obra, dedicada a la esposa, y con sus más de ocho-
cientas páginas, constituye una historia minuciosa de su pasado;
justificando el certero rótulo que para ella ideó, escribe Ramón en
el prólogo: "Titulo este libro *Automoribundia,* porque un libro
de esta clase es más que nada la historia de cómo ha ido muriendo
un hombre y más si se trata de un escritor al que se le va la vida
más suicidamente al estar escribiendo sobre el mundo y sus aventuras... En realidad esta es la historia de un joven que se hizo
viejo sin apercibirse de que sucedía eso, contando algo de lo que
pasó o tuvo a su alrededor, y que le obligó a pensar en pensamientos independientes". "Este libro, añade, es un retrato completo, es la historia de un viviente y de una pequeña época, re-
flejadas con toda la veracidad posible... Muestro así una vida
fuera de concurso, una vida sin pedantería ni ambición, entre de
espectador, de transeúnte y de actor, una vida optimista y des-
garradora, porque se la ve ir paso a paso hacia la muerte con la
ingenua alegría de no ir". Lo que en *Automoribundia* declara
Gómez de la Serna y se hacía preciso recordar para conocerle queda
ya transcrito en otros capítulos de este retrato suyo por lo que a
ello no he de tornar. Como no podía dejar de suceder, a la propia
historia de su vida Ramón añade, en el libro que menciono, referencias sobre sus convicciones ideológicas, creencias y prejuicios y
también semblanzas, casi todas breves, de quienes por ser familiares o amigos compartieron su intimidad o fueron espectadores
próximos de su vivir. Algo de lo que olvidó o no quiso relatar en
Automoribundia lo publica Ramón en un segundo volumen de
confesiones, *Nuevas páginas de mi vida,* del que son particularmente interesantes los capítulos en él consagrados a declarar sus
creencias en la fecha en que tales recuerdos narra. Carácter autobiográfico indudable poseen dos imaginarios epistolarios de Ramón: las *Cartas a las golondrinas* y sus *Cartas a mí mismo*; lo

que en ambos cuenta, sobre todo lo que deja entrever, aporta noticias, en ocasiones muy valiosas, para rehacer el mundo íntimo de su autor en los años finales de su vida; en cierta ocasión las titula Ramón 'cartas intimistas' y añade cómo en ellas ha buscado confesar "lo desgarrador, lo que no dije en mi diario íntimo".

Este capítulo con el que doy remate a mi retrato de Ramón Gómez de la Serna considero es lugar adecuado, pues también por su intención son históricos, para mencionar unos pocos libros dedicados por su autor a dibujar la faz de las ciudades donde transcurrió casi por entero su existencia: Madrid y Buenos Aires. Cometidos parecidos a los que ahora me refiero los llevó a cabo Gómez de la Serna en el cuerpo de varias de sus novelas; así el paisaje atlántico portugués lo rememora en *La quinta de Palmyra* y el ambiente ciudadano de Nápoles en *La mujer de ámbar*; de Castilla poseemos su excelente descripción de Segovia (*El secreto del Acueducto*) y del paisaje de la alta meseta nos habla en su comedia, de 1911, *La casa nueva*; otra buena pintura de Castilla la incluye en el artículo 'Los locos de los pueblos', recogido en *Muestrario*, y donde se lee su frase 'España se ignora', que hubieran podido escribir cuantos, antes que Ramón, se esforzaron en convertir la geografía española en tema literario. Desde el exilio, en 1948, y con el título *Explicación de Buenos Aires*, Gómez de la Serna traza un detenido retrato de la ciudad que le sirve de refugio en los años de senectud.

La ciudad más reiterada y pormenorizadamente descrita por Ramón es, desde luego, Madrid, que convirtió en escenario de varias de sus narraciones; novelas madrileñas son, recuérdese, *La viuda blanca y negra*, varios de los relatos que forman parte de *El novelista* y bastantes de sus novelas breves, *La Nardo, Las tres gracias* y *Piso bajo*; recuerdos de Madrid contienen algunas de sus biografías y su obra *La Sagrada Cripta de Pombo*, donde hace historia de los viejos cafés de la Corte. Madrid le da tema para su libro *El Rastro* y de Madrid habla en su trabajo 'El Paseo del Prado', publicado en 1919 como epílogo a la biografía de Larra escrita por Carmen de Burgos. Esta geografía literaria que traza Ramón de su villa natal se enriquece con nuevos capítulos en 1920 al editar el libro *Toda la historia de la Puerta del Sol,* obra de la que hace otra edición, ampliada, al siguiente año, y reedita, ahora con el título *Elucidario de Madrid,* en 1931 y 1957; en estas últimas impresiones del libro, con el Paseo del Prado y la Puerta del Sol, Ramón describe la cuesta de la Vega y el barranco del Moro, la Plaza Mayor y la Cava Baja, la iglesia de San Ginés y las plazas de la Cebada y de Santa Ana, la estatua de la Cibeles, el Retiro y el Jardín Botánico, la Torre de los Lujanes, la plaza de la Paja y la Puerta de Alcalá, las plazas de Santa Cruz, de la Armería y de Oriente, el río Manzanares y otros lugares que eludo nombrar. Estampas madrileñas, en las que mezcla recuerdos de sus años infantiles, componen el volumen *Nostalgias de Madrid,* que Ramón publica en 1956. Refiriéndose a este capítulo de su obra, Valbuena Prat define a Gómez de la Serna como "el madrileño que estiliza lo castizo"; hasta Ramón, opina Díaz Cañabate, "Madrid no existe en la literatura... Madrid ha sido creado por Ramón Gómez de la Serna. En sus libros, en sus artículos, está todo Madrid contenido hasta sus reconditeces más insospechadas". Ramón nacido en Madrid y vecino de la villa durante el más dilatado período de su existencia, es autor de su mejor retrato literario; nada más justo por ello que el primer premio 'Madrid', creado por la Fundación Juan March, fuera otorgado a Ramón la tarde del 9 de abril de 1962 por un jurado del que formaron parte, presidiéndolo Melchor Fernández Almagro, Gonzalo Torrente Ballester, Antonio Buero Vallejo, José Hierro Real, Dámaso Alonso, José Pla y el padre Félix García.

OBRAS DE
RAMON GOMEZ DE LA SERNA

Entrando en fuego (artículos) (1904).
Morbideces (relatos) (1908).
La Utopía (teatro) (1909).
Beatriz (teatro) (1909).
Cuento de Calleja (teatro) (1909).
El drama del palacio deshabitado (teatro) (1909).
El concepto de la nueva literatura (ensayo) (1909).
Mis siete palabras (ensayo) (1910).
El laberinto (teatro) (1910).
El Libro Mudo. Secretos (ensayo) (1910).
La bailarina (teatro) (1910).
Sur del renacimiento escultórico español (ensayo) (1910).
Los sonámbulos (teatro) (1911).
Siempreviva (teatro) (1911).
La Utopía (teatro) (1911).
Los unánimes (teatro) (1911).
Tránsito (teatro) (1911).
Fiesta de dolores (teatro) (1911).
La corona de hierro (teatro) (1911).
Teatro en soledad (teatro) (1912).
El lunático (teatro) (1912).
['Tristán'] *Tapices* (varia) (1913).
El ruso (El Libro Popular) (relato) (1913).
Ex votos (teatro) (1914).

El Rastro. Ex Libris (varia) (1914).
El doctor inverosímil (*La Novela de Bolsillo*) (relato) (1914).
Greguerías (1917).
La viuda blanca y negra (novela) (1917).
Pombo (1918).
Senos (varia) (1918).
El Circo (varia) (1918).
John Ruskin (biografía) (1918).
Muestrario (varia) (1918).
In Memoriam de 'Silverio Lanza' (biografía) (1918).
Greguerías selectas (1919).
El Paseo del Prado (descripción) (1919).
Libro Nuevo (varia) (1920).
Toda la historia de la Puerta del Sol (descripción) (1920).
Oscar Wilde (biografía) (1921).
El miedo al mar (*La Novela Corta*) (relato) (1921).
La tormenta (*La Novela Corta*) (relato) (1921).
Leopoldo y Teresa (*La Novela Corta*) (relato) (1921).
Disparates (varia) (1922).
El secreto del Acueducto (novela) (1922).
El Gran Hotel (novela) (1922).
El incongruente (novela) (1922).
Variaciones (varia) (1922).
La gangosa (*La Novela Corta*) (relato) (1922).
El olor de las mimosas (*La Novela Corta*) (relato) (1922).
La hija del verano (*La Novela Corta*) (relato) (1922).
Ramonismo (varia) (1923).
El novelista (novela) (1923).
El chalet de las rosas (novela) (1923).
La Sagrada Cripta de Pombo (1923).
Mi autobiografía (*La Sagrada Cripta de Pombo*) (1923).
El alba y otras cosas (varia) (1923).
La quinta de Palmyra (novela) (1923).
El joven de las sobremesas (*La Novela Corta*) (relato) (1923).
La saturada (*La Novela Corta*) (relato) (1923).
La malicia de las acacias (*La Novela Corta*) (relato) (1923).
En el bazar más suntuoso del mundo (cuentos) (1924).

Por los tejados (cuentos) (1924).
Aquella novela (*La Novela Corta*) (relato) (1924).
Cinelandia (novela) (1924).
Caprichos (varia) (1924).
La malicia de las acacias (novelas) (1924).
Los dos marineros (*La Novela Corta*) (relato) (1924).
El inencontrable (*Publicación Semanal*) (relato) (1925).
La fúnebre (*La Novela Corta*) (relato) (1925).
La virgen pintada de rojo (*La Novela Pasional*) (relato) (1925).
¡Hay que matar al Morse! (relato) (1925).
Gollerías (varia) (1926).
Las 636 mejores greguerías (1926).
El torero Caracho (novela) (1927).
Seis falsas novelas (novelas) (1927).
La mujer de ámbar (novela) (1927).
El caballero del hongo gris (novela) (1928).
El dueño del átomo (novela) (1928).
Goya y la ribera del Manzanares (biografía) (1928).
Goya (biografía) (1928).
El regalo al doctor (*Los Novelistas*) (relato) (1928).
Novísimas greguerías (1929).
Efigies (biografía) (1929).
Los medios seres (teatro) (1929).
La Nardo (novela) (1930).
Azorín (biografía) (1930).
Ismos (ensayo) (1931).
Elucidario de Madrid (descripción) (1931).
La hiperestésica (novelas) (1931).
Policéfalo y señora (novela) (1932).
Flor de greguerías (1933).
El Greco, el visionario de la pintura (biografía) (1935).
Los muertos, las muertas y otras fantasmagorías (varia) (1935).
¡Rebeca! (novela) (1936).
El cólera azul (novelas) (1937).
Greguerías (1940).
Retratos Contemporáneos (biografía) (1940).
Mi tía Carolina Coronado (biografía) (1942).

Doña Juana la Loca (*Novelas superhistóricas*) (novelas) (1942).
Don Ramón María del Valle-Inclán (biografía) (1942).
Maruja Mallo (crítica) (1943).
Lo cursi y otros ensayos (ensayo) (1943).
Don Diego de Velázquez (biografía) (1943).
El surco de los nardos (relato) (1943).
José Gutiérrez-Solana (biografía) (1944).
Nuevos Retratos Contemporáneos (biografía) (1945).
Norah Borges (crítica) (1945).
El hombre perdido (novela) (1947).
Obras selectas (antología) (1947).
Trampantojos (varia) (1947).
Cuentos de fin de año (cuentos) (1947).
Explicación de Buenos Aires (descripción) (1948).
Automoribundia (*1888-1948*) (autobiografía) (1948).
Cartas a las golondrinas (autobiografía) (1949).
Las tres gracias (novela) (1949).
Edgar Poe. El genio de América (biografía) (1953).
Quevedo (biografía) (1953).
Lope viviente (biografía) (1954).
Antología. Cincuenta años de literatura (antología) (1955).
Total de greguerías (1955).
Nostalgias de Madrid (descripción) (1956).
Cartas a mí mismo (autobiografía) (1956).
Nuevas páginas de mi vida (autobiografía) (1957).
Mis mejores páginas literarias (antología) (1957).
Piso bajo (novela) (1961).

* * *

Obras Completas (vol. 1.º) (1956).
Obras Completas (vol. 2.º) (1957).
Biografías Completas (1959).
Retratos Completos (1961).

BIBLIOGRAFIA CRITICA

ALFARO, María: "Ante la muerte"; *Indice de Artes y Letras*; número 76; Madrid, 1955.

ALFARO, María: "El Rastro de Ramón"; *Insula*; XVIII; núm. 196; Madrid, 1963.

ALONSO, M.: "La creación de la superhistoria"; *La Estafeta Literaria*; núm. 27; Madrid, 25, V, 1945.

ALLER, Angel: Comentario sobre Ramón reproducido en *Automoribundia*; pp. 795-799; Buenos Aires, 1948.

AMBRUZZI, L.: "Da Don Ramón a Ramón"; *Convivium*; I, pp. 720-727; Génova-Torino, 1929.

AUB, Max: *Discurso de la novela española contemporánea*; páginas 74-79; México, 1945.

AYESTA, Julián: "Paripé"; *Indice de Artes y Letras*; núm. 76; Madrid, 1955.

'AZORÍN': "Gómez de la Serna", reproducido en *Libro Nuevo*; páginas 31-33; Madrid, 1920.

BAEZA, Fernando: "El 'Album' de Pombo"; *Indice de Artes y Letras*; núm. 76; Madrid, 1955.

BAEZA, Ricardo: "En el Prado. Recuerdos de infancia"; *Indice de Artes y Letras*; núm. 76; Madrid, 1955.

BALLESTEROS DE MARTOS: "M. Proust y Ramón Gómez de la Serna"; *El Sol*; Madrid, 1, IV, 1923.

BERGAMIN, José: Comentario sobre Ramón reproducido en *Automoribundia*; pp. 780-783; Buenos Aires, 1948.

BONERMANN, W. M.: "Ramón Gómez de la Serna and the *gregueria*"; Tesis de la Univ. de Nueva York, 1955.

BONERMANN, W. M.: "Ramón Gómez de la Serna: *Antología*"; *Revista Hispánica Moderna*; XXII, pp. 307-308; Nueva York, 1956.

BORGES, Jorge Luis: Comentario sobre Ramón reproducido en *Automoribundia*; pp. 790-792; Buenos Aires, 1948.

BORRÁS, Tomás: "Lijerografía de Ramón Gómez de la Serna"; *Escorial*; 2.ª época; XIX, núm. 57, pp. 351-360; Madrid, 1949.

BORRÁS, Tomás: "En su balcón"; *Indice de Artes y Letras*; número 76; Madrid, 1955.

BORRÁS, Tomás: "Ramón en periódicos"; *Arriba*; Madrid, 15, I, 1963.

BORRÁS, Tomás: "Los monigotes de Ramón"; *La Estafeta Literaria*; Madrid, 19, I, 1963.

BOTÍN POLANCO, Antonio: "La noche del sábado y el sábado sin noche"; *Indice de Artes y Letras*; núm. 76; Madrid, 1955.

BOYD, Ernest: "Ramón Gómez de la Serna"; *Studies from Ten Literatures*; pp. 137-143; Nueva York, 1925.

CALLEJA, Rafael: Prólogo a *Greguerías*; Madrid, 1919.

CALLEJA, Rafael: "Ramón: A propósito de *El torero Caracho*"; *Revista de Occidente*; XVI, pp. 378-385; Madrid, 1927.

CANO, José Luis: "Ramón, ante el espejo"; *Cuadernos Hispanoamericanos*; III, núm. 8, pp. 423-424; Madrid, 1949.

CANO, José Luis: "Los libros del mes. Ramón Gómez de la Serna: *Automoribundia*"; Insula; IV, núm. 38; Madrid, 1949.

CANO, José Luis: "Ramón Gómez de la Serna: *Las tres gracias*"; *Insula*; IV, núm. 45; Madrid, 1949.

CANO, José Luis: "Ramón Gómez de la Serna: *Doña Juana la Loca y otras novelas superhistóricas*"; *Insula*; IV, núm. 47; Madrid, 1949.

CANSINOS-ASSENS, Rafael: "Ramón Gómez de la Serna: *Poetas y prosistas del Novecientos*"; pp. 247-275; Madrid, 1919.

CANSINOS-ASSENS, Rafael: *La nueva literatura, II: Las escuelas*; páginas 371-75; Madrid, 1925.

CANSINOS-ASSENS, Rafael: *La nueva literatura, IV: La evolución de la novela (1917-1927)*; pp. 351-383; Madrid, 1927.

CARDONA, Rodolfo: *Ramón. A study of Gómez de la Serna and his works*; Nueva York, 1957.

CASARIEGO, J. E.: "Con Ramón en su torre de Buenos Aires"; *ABC*; Madrid, 8, III, 1956.

Cassou, Jean: "La signification profonde de Ramón Gómez de la Serna"; *Revue Européenne*; III, pp. 175-178; París, 1928.

Cassou, Jean: "Ramón Gómez de la Serna"; *Panorama*; 2.ª edición; pp. 157-172; París, 1931.

Castillo-Puche, J. L.: "A la eternidad con monóculo"; *Blanco y Negro*; núm. 2.646; Madrid, 19, I, 1963.

Cejador y Frauca, Julio: *Historia de la Lengua y Literatura castellana*; XII, pp. 137 y 138-139; Madrid, 1920.

Cernuda, Luis: "Gómez de la Serna y la generación poética del 1925"; *Estudios sobre poesía española contemporánea*; pp. 165-177; Madrid, 1957.

'Corpus Barga' (Andrés García de la Barga): "Ramón en París"; *Revista de Occidente*; XIX, pp. 275-286; Madrid, 1928.

Correa Calderón, E.: "Ramón en el recuerdo"; *Insula*; XVIII, núm. 196; Madrid, 1963.

Chabás, Juan: "Ramón Gómez de la Serna"; *Literatura española contemporánea (1898-1950)*; pp. 381-394; La Habana, 1952.

Díaz-Cañabate, Antonio: "El Madrid de Ramón"; *Indice de Artes y Letras*; núm. 76; Madrid, 1955.

Díaz Fernández, J.: "Comentarios sobre *Policéfalo y señora*"; *Luz;* Madrid, 11, X, 1932.

Diego, Gerardo: "Bondad y alba de Ramón"; *Arriba*; Madrid, 15, I, 1963.

Díez-Canedo, E.: "*Greguerías. Senos. El Circo*"; *España;* IV, Madrid, 10, I, 1918.

Díez-Canedo, E.: "Ramón"; *Conversaciones literarias*; pp. 228-232; Madrid, 1921.

Díez-Echarri, E. y Roca Franquesa, J. M.ª: *Historia de la Literatura Española e Hispanoamericana*; pp. 1282-1284; Madrid, 1960.

Domenchina, J. J.: "El eclipse de Gómez de la Serna"; *Crónicas de Gerardo Rivera*; pp. 217-220; México, 1946.

Entrambasaguas, J. de: "Ramón el inigualable"; *Arriba*; Madrid, 15, I, 1963.

Espina, Antonio: "Ramón Gómez de la Serna: *Goya*"; *Revista de Occidente*; XXI, pp. 239-242; Madrid, 1928.

Espina, Antonio: "Ramón, genio y figura"; *Revista de Occidente*; 2.ª época; I, 1; pp. 54-64; Madrid, 1963.

FARRERAS, Pedro: "Algunas ideas sobre Ramón Gómez de la Serna"; *Prometeo*; IV, pp. 181-186; Madrid, 1911.

FERNÁNDEZ ALMAGRO, Melchor: "La generación unipersonal de Gómez de la Serna"; *España*; núm. 392, pp. 10-11; Madrid, 24, III, 1923.

FERNÁNDEZ ALMAGRO, Melchor: "Ramón, ramonismo"; *ABC*; Madrid, 16, I, 1963.

FERNÁNDEZ CUENCA, Carlos: "En *El hombre perdido* plantea Ramón Gómez de la Serna la novela de la nebulosa y del azar"; *Correo Literario*; IV, núm. 73; Madrid, 1953.

FERNÁNDEZ SUÁREZ, Alvaro: "Logosiquia del ramonismo"; *Indice de Artes y Letras*; núm. 76; Madrid, 1955.

FIGUEIREDO, F. de: "Viaje a través de la España literaria: Ramón Gómez de la Serna"; *El Debate*; Madrid, 25, III, 1928.

FILLOL, Gil: "Ramón"; reproducido en *Libro Nuevo*, pp. 169-172; Madrid, 1920.

FITZGERALD, T. A.: "*Azorín*, de Ramón Gómez de la Serna"; *Hispania*; XIV, pp. 241-243; Stanford, California, 1931.

FLORES, Angel: "At the sign of Ramón"; *The Bookman*; LXVII, núm. 4, pp. 386-390; Nueva York, 1928.

FRANK, Waldo: *Virgin Spain*; pp. 278-279; Nueva York, 1926.

GARCÍA, P. Félix: "En la cima de la vida"; *ABC*; Madrid, 8, III, 1962.

GARCÍA, P. Félix: "Réquiem por Ramón"; *ABC*; Madrid, 15, I, 1963.

GARCÍA CALDERÓN, Ventura: Comentario sobre Ramón, reproducido en *Automoribundia*; pp. 792-795; Buenos Aires, 1948.

GARCÍA LUENGO, E.: "Ramón Gómez de la Serna: *Cuentos de fin de año*"; *Insula*; III, núm. 27; Madrid, 1948.

GARCÍA-LUENGO, E.: "Escritor muy personal"; *Indice de Artes y Letras*; núm. 76; Madrid, 1955.

GARCÍA MERCADAL, J.: "Greguerías selectas", reproducido en *Libro Nuevo*, pp. 180-181; Madrid, 1920.

GARCÍA SERRANO, Rafael: "Pobre, grande, solitario"; *Arriba*; Madrid, 15, I, 1963.

GASCÓ CONTELL, E.: "Ramón Gómez de la Serna"; *Revue de l'Amérique Latine*; XV, pp. 190-192; París, 1928.

Giménez Caballero, E.: "Fichas sobre el ramonismo"; *El Sol*; Madrid, 12, VIII, 1928.

Giménez Caballero, E.: "Robinsones y libros robinsones"; *La Gaceta Literaria*; V, núm. 115; Madrid, 1931.

Girondo, Oliverio: Comentario sobre Ramón, reproducido en *Automoribundia*; pp. 789-790; Buenos Aires, 1948.

Gómez de Baquero ('Andrenio'), E.: "Las greguerías de Gómez de la Serna", reproducido en *Libro Nuevo*; pp. 214-216; Madrid, 1920.

Gómez Carrillo, E.: Comentario sobre Ramón, reproducido en *Automoribundia*; p. 772; Buenos Aires, 1948.

Gómez Mesa, Luis: "Ramón y el mundo cinelándico"; *Arriba;* Madrid, 15, I, 1963.

Gómez Santos, Marino: "Ramón a secas"; *Indice de Artes y Letras*; núm. 76; Madrid, 1955.

Gómez de la Serna, Gaspar: "Silueta de Ramón sobre el fondo nuevo de Madrid", en Conde de Mayalde: *Temas Madrileños, II. El paisaje de Madrid*; pp. 15-39; Madrid, 1952.

Gómez de la Serna, Gaspar: "Carta retrasada al primo Ramón"; *Indice de Artes y Letras*; núm. 76; Madrid, 1955.

Gómez de la Serna, Gaspar: "Del humorismo al humanismo"; *Arriba*; Madrid, 15, I, 1963.

Gómez de la Serna, Gaspar: "Ramón: sobre su regreso a la creencia"; *ABC*; Madrid, 15, I, 1963.

Gómez de la Serna, Gaspar: "El 'ismo' del ramonismo"; *Insula*; XVIII, núm. 196; Madrid, 1963.

Gómez de la Serna, Julio: "Mi hermano Ramón y yo"; reproducido en *Obras Completas* de Ramón; II, pp. 665-682; Barcelona, 1957.

Gómez de la Serna, Julio: "De hermano a hermano"; *Indice de Artes y Letras*; núm. 76; Madrid, 1955.

Gómez de la Serna, Julio: "Divagaciones (Recordación invernal de mi hermano)"; *Insula*; XVIII, núm. 196; Madrid, 1963.

Gómez de la Serna, Susana: "No todo morirá (Fiel visita a Ramón Gómez de la Serna)"; *Insula*; XVIII, núm. 196; Madrid, 1963.

González Gerth, Miguel: "El mundo extravagante de Ramón Gómez de la Serna"; *Insula*; XVII, núm. 183; Madrid, 1962.

G(onzález) L(anuza), E.: "Ramón Gómez de la Serna: *Antología*"; *Sur*; núm. 238, pp. 88-90; Buenos Aires, 1956.

GONZÁLEZ-RUANO, César: "Ramón Gómez de la Serna"; *Siluetas de escritores contemporáneos*; pp. 151-153; Madrid, 1949.

GONZÁLEZ-RUANO, César: "Ramón del alma mía"; *ABC*; Madrid, 15, I, 1963.

GONZÁLEZ-RUANO, César: "Próximo viaje de Ramón"; *Blanco y Negro*; núm. 2.646; Madrid, 19, I, 1963.

GRANJEL, Luis S.: "Algo sobre la literatura psicosomática de Ramón Gómez de la Serna"; *Medicamenta*; XI, núm. 229, pp. 29-30; Madrid, 1953.

GRANJEL, Luis S.: "*Prometeo* (1908-1912), I. Biografía de *Prometeo*"; *Insula*; XVIII, núm. 195; Madrid, 1963.

GRANJEL, Luis S.: "*Prometeo* (1908-1912), II. Ramón en *Prometeo*"; *Insula*; XVIII, núm. 196; Madrid, 1963.

GRANVILLE-BARKER, Helen: "Ramón Gómez de la Serna"; *The Fortnightly Review*; CXXV, pp. 33-42; London, 1929 (reproducido en *Atenea*, Concepción —Chile—, 1929).

GÜIRALDES, Ricardo: Comentario sobre Ramón reproducido en *Automoribundia*; p. 788; Buenos Aires, 1948.

HIDALGO, Alberto: "Ramón Gómez de la Serna", reproducido en *Libro Nuevo*; pp. 127-132; Madrid, 1920.

HOYOS Y VINENT, Antonio de: "Ramón Gómez de la Serna", reproducido en *Libro Nuevo*, pp. 185-188; Madrid, 1920.

HUGO, Eduardo: "El último libro de Ramón", reproducido en *Libro Nuevo*; pp. 174-175; Madrid, 1920.

JARNÉS, Benjamín: "Los tres Ramones"; *Proa*; I, núm. 5, pp. 3-9; Buenos Aires, 1924.

JARNÉS, Benjamín: "R. Gómez de la Serna": *La quinta de Palmyra*"; *Revista de Occidente*; X, pp. 112-117; Madrid, 1925.

JARNÉS, Benjamín: "Caleidoscopio humano", en *Feria del Libro*; páginas 234-244; Madrid, 1935.

JIMÉNEZ, Juan Ramón: "A Ramón Gómez de la Serna"; *Prometeo*, III, núm. 23, pp. 918-921; Madrid, 1910.

JIMÉNEZ, Juan Ramón: "Ramón Gómez de la Serna"; *Españoles de tres mundos*; pp. 205-207; Madrid, 1960.

JUNOY, J. M.: "Ramón Gómez de la Serna"; reproducido en *Libro Nuevo*; pp. 69-71; Madrid, 1920.

LARBAUD, Valéry: "Presentation de Ramón Gómez de la Serna"; *Echantillons*, París, 1923.

LARBAUD, Valéry: "Ramón Gómez de la Serna et la littérature espagnole contemporaine"; *La Revue Hebdomadaire*; XXXII, núm. 3, páginas 293-301; París, 1923.

LARBAUD, Valéry: "Ramón Gómez de la Serna"; *La Revue Européenne*; II, núm. 13, pp. 7-12; París, 1924.

LEFEVRE, Federico: "Una hora con Ramón Gómez de la Serna, poeta y novelista español", reproducido en *La Nardo*, de Ramón (Madrid, 1930), y en las *Obras Completas* de Gómez de la Serna; I, pp. 41-48; Barcelona, 1956.

MACHADO, Manuel: "De mi calendario", reproducido en *Libro Nuevo*, pp. 43-44; Madrid, 1920.

MARÍAS, Julián: "Gómez de la Serna, Ramón"; en *Diccionario de Literatura Española*; pp. 315-316; 2.ª edición; Madrid, 1953.

MARÍAS, Julián: "Ramón y la realidad"; *El oficio del pensamiento*; pp. 251-258; Madrid, 1958.

MARICHALAR, Antonio: "Ramón Gómez de la Serna: *El alba y otras cosas*"; *Revista de Occidente*; III, pp. 119-125; Madrid, 1924.

MARRA-LÓPEZ, José R.: "Ramón, de ayer a hoy"; *Insula*; XVIII, número 196; Madrid, 1963.

MIOMANDRE, Francis de: "Ramón Gómez de la Serna"; reproducido en *Libro Nuevo*; pp. 249-250; Madrid, 1920.

MIRANDA JUNCO, Agustín: "El Greco y su destino"; *Revista de Occidente*; L, pp. 241-244; Madrid, 1935.

MONTERO ALONSO, José: "Ya no escribiré más que greguerías, dice Ramón Gómez de la Serna en Buenos Aires"; *A B C*; Madrid, 24, V, 1962.

NEVILLE, Edgar: " Ramón. El buque nodriza"; *Indice de Artes y Letras*; n.º 76; Madrid, 1955.

NORA, Eugenio de: "Ramón Gómez de la Serna"; *La Novela Española Contemporánea* (1927-1960); pp. 93-150; Madrid, 1962.

NOVAS CALVO, L.: "Ramón, el inhumano: mi incursión a Pombo"; *Revista Bimestre Cubana*; XXX, pp. 52-61; La Habana, 1932.

OBREGÓN, Antonio de: "Cartas de Ramón"; *A B C*; Madrid, 8, VIII, 1962.

OCAMPO, Victoria: "Ramón Gómez de la Serna en Buenos Aires"; *Sur*; II, pp. 205-208; Buenos Aires, 1931.

OROZCO, Manuel: "Ramón, el archiescritor"; *Insula*; XVIII, número 196; Madrid, 1963.

ORTEGA Y GASSET, José: *La deshumanización del arte e ideas sobre la novela*; *Obras Completas*; III, p. 374; Madrid, 1947.

OSORIO DE OLIVEIRA, José: "D. Ramón Gómez de la Serna"; reproducido en *Libro Nuevo*; pp. 209-211; Madrid, 1920.

OTERO SECO, Antonio: "Mi amigo Ramón"; *Insula*; XVIII, número 196; Madrid, 1963.

PAPINI, Giovanni: "Ramón e i minerali"; *Gog.*; pp. 342-348; Firenze, 1945.

PEMÁN, José M.ª: "El Dios de Gómez de la Serna"; *Indice de Artes y Letras*; n.º 76; Madrid, 1955.

PÉREZ FERRERO, Miguel: "Vida de Ramón"; *Cruz y Raya*; número 30, suplemento; pp. 3-56; Madrid, 1935.

PÉREZ FERRERO, Miguel: "Retrato de Ramón"; *La Estafeta Literaria;* número 21; Madrid, 15, II, 1945.

PÉREZ FERRERO, Miguel: "Ramón y el primer Pombo"; *Unos y otros*; pp. 73-77; Madrid, 1947.

PÉREZ MINIK, Domingo: "Ramón Gómez de la Serna"; *Novelistas españoles de los siglos XIX y XX*; pp. 205-228; Madrid, 1957.

'PERICO EL DE LOS PALOTES' (C. de Burgos): "Ramón Gómez de la Serna"; reproducido en *Libro Nuevo*; pp. 212-214; Madrid, 1920.

PILLEPICH, P.: "Ramón Gómez de la Serna"; *La Gaceta Literaria*; Madrid, 1, XI, 1930.

PITOLLET, C.: "Ramón Gómez de la Serna: *Azorín*"; *Revue des Langues Romanes*; LXVI, pp. 161-166; Montpellier, 1930.

PLA, José: "Ramón Gómez de la Serna"; *Grandes Tipos*; pp. 27-39; Barcelona, 1959.

PLATH, O.: "Charlot y Ramón"; *La Gaceta Literaria*; V, n.º 113; Madrid, 1, IX, 1931.

POMÉS, Mathilde: "Ramón Gómez de la Serna"; *Vie des Peuples*; VII, núm. 26, pp. 442-450; París, 1922.

PONCELA, Jardiel: Comentario sobre Ramón, reproducido en *Automoribundia*; p. 788; Buenos Aires, 1948.

PORRAS, Antonio: "Ramón y sus greguerías"; *Indice Literario*; IV, páginas 45-47; Madrid, 1935.

PORRAS, Antonio: "Flor de greguerías"; *Revista de Occidente*; XLVII, pp. 346-351; Madrid, 1935.

P (ORRAS), A.: "Los reaños del alma (Notas a *El Greco*, de Ramón Gómez de la Serna)"; *Cruz y Raya*; núm. 32, pp. 137-144; Madrid, 1935.

RAMÍREZ-ANGEL, Emiliano: "El Rastro y Ramón"; reproducido en *Libro Nuevo*; pp. 48-53; Madrid, 1920.

REYES, Alfonso: "Ramón Gómez de la Serna"; *Hispania*; I, páginas 234-240; París, 1918; reproducido en *Obras Completas* de A. Reyes; IV, pp. 183-191; México, 1956.

Río, Angel del: "Los tres últimos ensayos de Ramón Gómez de la Serna"; *El Mercurio Peruano*; XX, pp. 1-10; Lima, 1930.

Río, Angel del: "Ramón Gómez de la Serna: *Flor de greguerías*"; *Revista Hispánica Moderna*; II, pp. 317-318; Nueva York, 1935-1936.

Río, Angel del y BENARDETE, M. J.: *El concepto contemporáneo de España. Antología de ensayos* (1895-1931); pp. 714-717; Buenos Aires, 1946.

RISCO, Vicente: "Ramón Gómez de la Serna"; reproducido en *Libro Nuevo*; p. 235; Madrid, 1920.

R(IVAS) C(HERIF), C.: "Ramón Gómez de la Serna; *Libro Nuevo*"; *La Pluma*; II, núm. 13, pp. 377-378; Madrid, 1921.

R(IVAS) C(HERIF), C.: "Ramón Gómez de la Serna: *El doctor inverosímil*"; *La Pluma*; III, núm. 15, pp. 124-125; Madrid, 1921.

R(IVAS) C(HERIF), C.: "Ramón Gómez de la Serna: *Disparates. La viuda blanca y negra*"; *La Pluma*; IV, núm. 22, pp. 187-188, Madrid, 1922.

R (IVAS) C (HERIF), C.: "Ramón Gómez de la Serna: *El Gran Hotel*"; *La Pluma*; IV, núm. 24, p. 310; Madrid, 1922.

R (IVAS) C (HERIF), C.: "Ramón Gómez de la Serna: *Variaciones.— El incongruente*"; *La Pluma*; V, núm. 30, pp. 394-396; Madrid, 1922.

R (IVAS) C (HERIF), C.: "Ramón Gómez de la Serna: *El secreto del Acueducto.—Senos*"; *La Pluma*; VI, n.º 34, p. 256; Madrid, 1923.

ROCAMORA, Pedro: "Ramón y el préstamo de Dios"; *A B C*; Madrid, 15, I, 1963.

Rojas Paz, P.: "La greguería y su estética"; *Azul*; II, n.º 11, páginas 201-206; Buenos Aires, 1931.

Ruiz-Contreras, Luis: *Día tras día. Correspondencia particular* (1908-1922); Madrid, 1950.

Sáinz de Robles, Federico Carlos: "Gómez de la Serna, Ramón"; *Ensayo de un Diccionario de la Literatura*; II, pp. 454-455; 2.ª edición; Madrid, 1953.

Sáinz de Robles, Federico Carlos: "Ramón Gómez de la Serna: *Lope viviente*"; *Panorama Literario*; II, pp. 223-228; Madrid, 1955.

Sáinz de Robles, Federico Carlos: "Ramón Gómez de la Serna: *Quevedo*"; *Panorama Literario*; II, pp. 229-234; Madrid, 1955.

Sáinz de Robles, Federico Carlos: *La novela española en el Siglo XX*; pp. 168-170; Madrid, 1957.

Salaverría, José M.ª: "Un escritor"; reproducido en *Libro Nuevo*; pp. 33-36; Madrid, 1920.

Salaverría, José M.ª: "Ramón Gómez de la Serna y el vanguardismo"; *Nuevos Retratos*; pp. 99-158; Madrid, 1930.

Salazar, Adolfo: "Comentarios sobre *Policéfalo y señora*"; *El Sol*; Madrid, 12, X, 1932.

Salinas, Pedro: "Escorzo de Ramón"; *Literatura española Siglo XX;* páginas 161-166, 2.ª edición; México, 1949.

Sampelayo, Juan: "Ramón Gómez de la Serna: *Las tres gracias*"; *Escorial*; 2.ª época; XX, núm. 60, pp. 1280-1281; Madrid, 1949.

Sampelayo, Juan: "De la calle de las Rejas al Ritz"; *Arriba*; Madrid, 15, I, 1963.

Santos, Dámaso: "Alzado Ramón"; *Arriba*; Madrid, 15, I, 1963.

'Silverio Lanza' (Juan Bautista Amorós): "Extracto del Evangelio de Ramón Gómez de la Serna"; *Prometeo*; III, núm. 15, pp. 12-13; Madrid, 1910.

'Silverio Lanza' (Juan Bautista Amorós): "Acción de gracias"; *Prometeo*; III, núm. 23, pp. 901-917; Madrid, 1910.

Soto, L. E.: "30 años o la vida de la greguería"; *Argentina Libre*; Buenos Aires, 12, IX, 1940.

Suárez Calimano, E.: "*La quinta de Palmyra,* novela grande por Ramón Gómez de la Serna"; *Nosotros*; LII, pp. 425-426; Buenos Aires, 1926.

Torre, Elías: "Ramón y 'lo cursi'"; *Insula*; XVIII, núm. 196; Madrid, 1963.

Torre, Guillermo de: "Ramón Gómez de la Serna"; reproducido en *Libro Nuevo*; p. 138; Madrid, 1920.

Torre, Guillermo de: "Ramón y Picasso. Paralelismos y divergencias"; reproducido en *Obras Completas* de Ramón; II, pp. 9-29; Barcelona, 1957.

Torre, Guillermo de: "Cuatro nuevos libros de Ramón"; *Síntesis*; II, núm. 18, pp. 349-351; Buenos Aires, 1928.

Torre, Guillermo de: "Ramón y Morand en Buenos Aires"; *La Gaceta Literaria*; V, n.º 120; Madrid, 15, XII, 1931.

Torre, Guillermo de: "Anticipaciones de Ramón"; *Argentina*; Buenos Aires, 2, VI, 1931.

Torre, Guillermo de: "*Ismos y Elucidario* de Ramón"; *España Republicana*; Buenos Aires, 10, X, 1931.

Torre, Guillermo de: "Una interpretación novelesca de los argentinos"; *Revista de Occidente*; XXXVIII, pp. 334-338; Madrid, 1932.

Torre, Guillermo de: "Dos nuevas presencias de Ramón"; *Diario de Madrid*; Madrid, 25, VI, 1935.

Torre, Guillermo de: "Picasso y Ramón"; *Diario de Madrid*; Madrid, 12, XII, 1935.

Torre, Guillermo de: "Ramón Gómez de la Serna. Cincuenta años de literatura"; *Las metamorfosis de Proteo*; pp. 61-81; Buenos Aires, 1956.

Torre, Guillermo de: "Perspectivas y balance de Ramón"; *Cuadernos*, 71; pp. 67-71; París, abril de 1963.

Torrente Ballester, Gonzalo: *Panorama de la Literatura Española Contemporánea*; I, pp. 276-281; 2.ª edición; Madrid, 1961.

Torrente Ballester, Gonzalo: "Ramón desde la provincia"; *Arriba*; Madrid, 15, I, 1963.

Torrente Ballester, Gonzalo: "Teatro de Ramón"; *Insula*; XVIII, núm. 196; Madrid, 1963.

Tovar, Antonio: "Ramón, asceta"; *Ensayos y Peregrinaciones*; páginas 287-299; Madrid, 1960.

Trenas, Julio: "El teatro. *Los medios seres.— Escaleras*; *Indice de Artes y Letras*; núm. 76; Madrid, 1955.

TUDELA, Mariano: "Ramón Gómez de la Serna. El hombre y su obra"; *Atlántida*, núms. 11-12, pp. 6-7; 1954.

URIARTE, F.: "Ramón Gómez de la Serna: *El cólera azul*"; *Atenea*; XLIV, pp. 147-150; Concepción, Chile, 1938.

VALBUENA PRAT, Angel: *Teatro Moderno Español*; pp. 171-172; Zaragoza, 1944.

VALBUENA PRAT, Angel: *Historia de la Literatura Española*; III, páginas 618-625; 5.ª edición; Barcelona, 1957.

VALENCIA, Antonio: "El otro Ramón de América"; *Arriba*; Madrid, 15, I, 1963.

VALLE, Adriano del: Comentario sobre Ramón, reproducido en *Automoribundia*; pp. 779-780; Buenos Aires, 1948.

VELA, Fernando: "La tertulia de Pombo"; *Revista de Occidente*; VI, pp. 172-176; Madrid, 1924.

VELA, Fernando: "La tertulia de Pombo"; *Indice de Artes y Letras*; n.º 76; Madrid, 1955.

VINARDELL, Santiago; "Mi visita al hombre nuevo"; reproducido en *Libro Nuevo*; pp. 54-61; Madrid, 1920.

WERNI, F.: "Autopsia de Ramón Gómez de la Serna"; *Megáfono*; II, n.º 8, pp. 18-21; Buenos Aires, 1931.

ZOZAYA, Antonio: "Ramón Gómez de la Serna"; reproducido en *Libro Nuevo*; p. 185; Madrid, 1920.